Breakfast lavishly, pre-book all your
holidays years in advance, dress sensibly
and obey the red man!

How to be German presents all the little
absurdities that make living in Germany such a
pleasure. It's required reading for all Ausländer
and for Germans who sometimes have the
feeling they don't understand their own country.
We learn why the Germans speak so freely
about sex, why they are so obsessed with
Spiegel Online and why they all dream of being
naked in a lake of Apfelsaftschorle. At the end,
the only thing left to say to Adam Fletcher's love
letter to Germany is ‹Alles klar!›

ADAM FLETCHER

is a thirty-year-old, bald Englishman living in Berlin. When not writing books and articles, he mostly spends his days dreaming up a whole range of largely unsuccessful products for his business *The Hipstery*, eating chocolate and napping. He dedicates this book to his Ossi girlfriend Annett, since she dropped about 18,000 hints that he should do so and he'd really just like a little peace and quiet now. *How to be German* started its life as an online blog series, which much to Adam's surprise has been read more than one million times, generating thousands of comments, both saying how right and how wrong he was (this directly resulted in the addition of Step 29: Klugscheißen). Adam has written about thirty new steps, expanded some old ones, had everything nicely illustrated and the result is this book. Find out more about Adam and how you can also contact him to tell him how right/wrong he is at http://hipstery.com.

ROBERT M. SCHÖNE

is a German freelance graphic designer and hermit. He mostly spends his time collecting obscure fonts and dolphin-themed clipart. He has successfully completed 37 of *How to be German*'s 50 steps, but flat out refuses to wait at the red Ampelmännchen or get a ‹real› job.

ADAM FLETCHER

HOW TO BE GERMAN

IN 50 EASY STEPS

A GUIDE FROM APFELSAFTSCHORLE TO TSCHÜSS

With illustrations
by Robert M. Schöne

C.H.BECK

1st edition. 2013
2nd edition. 2013
3rd edition. 2013

Original edition

4th edition. 2013
© Verlag C.H.Beck oHG, München 2013
Typesetting: Fotosatz Amann, Aichstetten
Printing and binding: Kösel, Krugzell
Cover illustration and cover design: Robert M. Schöne
Printed in Germany
ISBN 978 3 406 65364 3

www.beck.de

INTRODUCTION

‹Would you like to move to Leipzig?›
‹I don't know where it is,› I said.
‹It's in East Germany.›
‹Oh. Err. Yeah, why not.›

This was the conversation that resulted in me moving to Germany. I was standing in a bedroom of my parents' house in Cambridge, England. Talking on the phone to the person who'd become my boss. It was the unusually warm summer of 2007. I'd finished university just a few weeks before, and had already found a very nice job, which would mean I could live with my parents and clear some university debt. Which may have sounded very sensible in theory, but was not working out so well. After just two weeks of having my washing done and my meals cooked for me, I was already going stir-crazy. Probably, even if the voice at the other end of the phone had said, ‹Leipzig is an icy cave in Siberia, there is no WiFi,› I would have still answered, ‹Oh. Err. Yeah, why not.›

I always knew I'd move abroad. I never felt quite at home in England. A place where you have to apologise for being interested in things that aren't football-shaped or served in pint glasses. A place that excels in small talk. A place where I'd always found it hard to make good friends. I'm sure that's not everyone's experience, but it was mine. So I knew I'd leave, but I never guessed it would be to Germany. The country was never really on my radar. I knew roughly where it was, geographically speaking. We'd even learnt a little bit about it at school. An education of it that started in 1918 and ended in 1945. Even when I'd backpacked through Europe the previous summer, visiting seven or eight countries surrounding it, I never even considered going to it. Like I said, it was just never really on my radar.

Until, on a bit of a whim, as a result of that phone call and armed with little more than my own ignorance, I moved there. It was great. It was just so great. My first year in Germany was, without doubt, the most enjoyable of my life. Far more warmth, hospitality and good humour was shown to me by the kind Germans who adopted me than I ever deserved. Some six years later, I'm still proud to call many of them my friends. First Leipzig and then Berlin are the only two places I've ever loved living in enough to call them a clichéd little word like *home*. It would be easy to dismiss this book as just some stupid Ausländer making fun of German stereotypes. I hope it doesn't come across that way. I hope my affection for German people and culture shines through any mockery or jest. That the weight of the punch lines is distributed fairly across myself, the English and finally, where appropriate, German culture. This country has so much going for it and so much to be proud of. Yet paradoxically, patriotism of any kind is taboo.

Well, if you're not allowed to do it, I'll do it for you. I'm proud to be an honorary German. If you want to be one, too, the fifty short steps in this guide might just help you. Let's begin …

1. PUT ON YOUR HOUSE SHOES

So, here we are then, my little Ausländer. Your first day as an aspiring German. You'll have woken up in your bed, where you were nestled safely in a firm, practical mattress. Now, you'll need to carefully make up your half of the bed. You should be sleeping in a double bed made up of two single mattresses and two single duvets; what it lacks in nocturnal romance, it more than makes up for in practicality, the most prized of German possessions.

Now, careful! Don't step off the Bettvorleger yet, there is a very high chance that the floors will be ever so slightly colder than you would expect! So cold that you might go into some kind of morning shock. That's why you need house shoes! They are staunch requirements of Germanism.

I would like to be able to tell you why Germans are so in love with their house shoes. I've asked several but still have no definitive answer. Not because they've not told me, but because the answer is so incredibly unromantic, sensible, practical and boring that my happy little barefoot brain has no idea where to store information of that nature and so just gives up committing it to memory.

2. EAT A LONG BREAKFAST

Coming from England, I was very surprised to see how important the kitchen is to the German people. The English tend to
treat it purely as a room of function, like the toilet, only with a
fridge. You get in, do what you've got to do, get out. The living
room is the heart of the home.

For the Germans, it's a different story. They are happiest
spending the most time in their kitchens. It's the most practical
room in the house. You have a table, water, coffee, food, radio,
and serious, posture-encouraging seating. They've correctly
realised that if trouble does come calling, they'll be best prepared for it by holing up in their kitchens.

German breakfasts are not meals but elaborate feasts. If it's a
weekend, every square inch of the table will be smothered in an
assortment of meats, cheeses, fruits, jams, spreads and other
condiments. It'll look like someone broke in and, while hunting
for valuables, just tipped the contents of all the cupboards onto
the table.

The first time I experienced breakfast in a German WG it last-
ed so long that I drifted off into a sort of breakfast coma, and
they had to wake me with some *Eszet*, which is a sort of chocolate strip you put on bread. I didn't know you could legally
combine chocolate and bread. It was quite a revelation. Now I
just eat *Eszet* with everything, and slowly I've learnt to eat more,
and also slower, during the long, drawn-out German breakfasts.

The worst game show I've ever seen was an English one called
Touch the Truck. Its premise, if I can be so generous as to call it
that, was that lots of people touch a truck while the audience
wait and watch, and then the last person to let go of the truck
wins the truck. It sometimes feels like German breakfasts work

on a similar premise, except the truck is breakfast and the prize is, well, actually, I'm not entirely sure what the prize is … having the minimum possible time until lunch, maybe?

3. PLANNING, PREPARATION & PROCESS

So far, so good. Look at you, you're up early, you've got your radio on, no doubt some Depeche Mode is blasting out and you're eating a slow and ponderous German breakfast. You're acclimatising very well, young Ausländer.

Now you need to enter the headspace of the Germans. If you want to be one, you need to think like one, which is a big task and we'll cover it in more detail in later steps. But, for now, start accepting the three central tenets of Germanism. The three P's. *Planning, Preparation, Process.*

Being a good German is about understanding the risks, insuring for what can be insured, preparing for what cannot. You are your own life's project manager. Plan and prepare. Make spreadsheets, charts and lists. Think about what you're doing each day and how you can make it more efficient.

Is it possible you arrange your shoe storage so that the most used items are nearer to the top, reducing bending time? I don't care if you're seventeen, it's taking you nearly a full minute to get your shoes on, buy a shoe horn! Optimise your processes!

Just because they call it spontaneity, doesn't mean it can't be scheduled. There's a time and place for fun, and it's to be pre-decided and marked in the calendar. All else is frivolous chaos. So sit down now and make a plan for the day, then the week, then the month. Then book your holidays until 2017. To make it easier, just go to the same place. How about Mallorca? All the other Germans go there. Must be something to it.

4. GET SOME INSURANCES

Everyone knows it's a jungle out there. Hence why we created the phrase. So, plucky Ausländer, before you go out into that jungle and start swinging from its higher branches, it's wise you be sensibly insured. Of course, Germans, being imaginative people, ran a little wild with the concept of ‹sensibly insured.›

Don't be surprised if the Germans you meet all have personal insurance advisors. My girlfriend communicates with her insurance advisor more often than I do with my own mother. If someone invented insurance insurance – an insurance against not having the right insurance – we'd all be treated to the sight of 80 million people dying of happiness.

5. DRESS SERIOUSLY

Plan made for the day? Insurances in place? Great. Good work! Now it's time to change out of your Schlumperklamotten and head outside to face the day head on. You're going to need to get appropriately dressed.

WARNING! AUSLÄNDER! WARNING! Outside is this thing called nature. Nature is fickle and not to be trusted! It dances to its own illogical, changeable tune. Best dress on the safe side. You need – expensive outdoor clothing! After all, you're going outdoors, and it's called outdoor clothing, therefore it must be necessary.

At all times, you should be dressed for a minimum of three seasons. Get some of those funky Jack Wolfskin shrousers: the trousers that zip off into shorts. If there is even the slightest possibility you may at some point leave a pavement, be sure you are wearing high-quality hiking boots. The Germans consider anything else an act of ankle suicide.

6. SPEAK GERMAN

Every nation has done things it should be embarrassed about. Dark acts in its history. The Germans are no exception. You know of what I talk – *the German language*. Deutsch is mostly an incomprehensible jumble of exceptions. A dungeon designed to trap foreigners and hold them hostage, repeatedly flogging them with impenetrable and largely useless grammatical devices, whose only merit is to state in very, very explicit detail who has what and what is being done to whom, by whom.

The bad news is that for you to fully blend with the Germans, you'll need to learn their language. In principle, it's not that hard. It works in two stages: learning vocabulary and learning grammar. Learning vocabulary is fun. Most words are even similar to English thanks to our shared ancestry, so you'll zip along for a while making great progress and really enjoying wrapping your tongue around such delights as *Schwangerschaftsverhütungsmittel*, *Haarschmuckfachgeschäft*, *Muckefuck* and *Streicheleinheiten*.

Then, confident at all the little snippets you've already accumulated, you'll start learning the grammar, the putty that builds your mutterings into real, coherent German sentences. This is where you'll start to feel cheated. German grammar is nonsense.

English, at least linguistically, has always been the biggest slut in the room. Giving and taking from other languages. It tries hard to make you like it. It keeps itself simple. My pet theory is that the Germans, despite their committed efforts, were not as successful as the English in their world power plays. So, unlike German, the English language has been forced, historically, to bridge the cultural and linguistic divides that lay between us and the countries we were conquering (sorry, *colonising*). Over time, we've had to smooth down the rougher edges of English, which is a poetic way of saying *kicked out all the hard bits*.

English has been forced to evolve in a way that German has not. Which is why German has retained the grammatical complexity of Old English, while English got busy dumbing itself down for the masses.

Take genders as an example. Present in Old English, but long since removed to everyone's relief. Sadly, still stubbornly present in German in the form of *der*, *die* and *das*, yet they're assigned utterly arbitrarily. Sure, there are some sort of vague guidelines about how word endings can suggest the gender, and some groupings, e. g. all days of the week and all months are *der*. That'll help you with maybe 30% of nouns. This still leaves 70%

that you'll have to learn by heart so you can decline correctly. You can also decline to learn them if you like. See what I did there? Oh, how I amuse myself. Anyway …

You'll waste much time memorising genders (PRO TIP: never learn a noun without its article, going back later and adding them in is very time-consuming and inefficient). Yet, without knowing the gender of the nouns, you can't accurately decline the endings of the sentences' nouns and adjectives. Which is utterly pointless anyway and does next to nothing to increase comprehension. Without it, though, you'll say very embarrassing things like ‹einer großer Wasser,› instead of ‹ein großes Wasser.› I know. Cringeworthy.

Of course there are far harder languages to learn than German. That's not my point. English also has its stupidities, like its staunch commitment to unphoneticism. The difference is that English is kind enough to be easy in the beginning, then it ramps up slowly and encouragingly, with minimal grammar. German just plonks you down in front of a steep mountain, says ‹Viel Spaß,› and walks off as you begin your slow, painful ascent.

When I first started learning the language, which mostly consisted of me getting nowhere and just sitting around bitching about it, I was gently reminded by a friend that some of the smartest things ever written were authored in this language. First you need only to respect it, later you can learn to like it.

7. OUTGESOURCED, DOWNGELOADED & UPGEGRADED

It's the 15th century, and Russia is occupied by the Mongols. A peasant and his wife are out walking along a dusty road. A Mongol warrior on a horse pulls up alongside them and tells the

Russian peasant he will now have sex with the Russian's wife, while he is forced to watch. But, since there is a lot of dust on the ground, the Mongol tells the Russian that he must hold his balls throughout so that they do not get dirty. Once the Mongol warrior has finished, he returns to his horse and rides away. The Russian man's wife is understandably distraught. She sits weeping, while the Russian peasant starts laughing and jumping around with joy. His surprised wife asks, ‹How can you be jumping with joy after what just happened?› The peasant answers ‹Oh, but it is I who had the last laugh, for his balls *are* now covered in dust!›

I think of this parable when I hear Germans use words like *upgraden*, *getoastet*, *outgesourced* and *downgeloaded*. Most Germans I know are fiercely protective of the German language. As if it were a flightless bird left to flounder amongst a pack of linguistic lions or a fragile egg that must be carefully protected from the onslaught of spatula-shaped Anglicisms. The kind of Anglicisms used by lazy marketers who want to make their slogans and marketing spiel that bit more exotic by peppering in some funny, foreign, mostly English jargon. I think this fear is a justified one. Languages have always borrowed from each other, but in future English, like a particularly enthusiastic team player, will give many more words to other languages than it takes from them, due to its position as the *lingua franca*.

But, my dear beloved Germans, when I catch you using words like *outgesourced* or *downgeloaded*, my heart sinks. Not only are you using the exact English word and spelling when you have perfectly good German equivalents, but you're even going to the length of adding the English grammatical affix *-ed* to change the tense, which is not part of the German language. So now we've got an English word, English spelling, English grammar, but then, like an awkward final act of language patriotism, you've slapped the totally unnecessary German *ge-* prefix into the middle.

At these times, I'm reminded of that Russian, celebrating the smallest of victories in the face of an already lost war. ‹Oh, but it is the German language that's had the last laugh, for it has got a *ge-* in the middle!›

8. OBEY THE RED MAN

I think the often exaggerated stereotype that Germans love to follow the rules all comes down to one, little, illuminated red man. Guardian and God of the crossing pedestrian. To dare challenge his authority and step gingerly out into a completely empty road when he is still red is to take a great personal risk.

Not of getting run over, of course. The road is completely empty after all. Bar being struck by an invisible car, you're safe. No, what you really risk is the scorn, the tutting and the shouts of ‹Halt!› from nearby Germans. Who will now consider you an irresponsible, possibly suicidal, social renegade.

HALT! Await the green Ampelmänn-chen. Consider it an elaborate exercise in self-control. You'll need all that self-control not to freak out and start shooting the first time you visit the Ausländerbehörde and find out they don't speak English.

9. DRINK APFELSAFTSCHORLE

So, my most excellent, fearless Ausländer, it's been a tough morning, right? Your commitment to assimilation thrills me. Let's take a little break. Thirsty? I know just the drink…

Firstly, you must know, Germans fear any beverage that doesn't fizz. It brings them out in a cold sweat. It's a great comedic joy to watch tourists and foreigners in Germany buying water labelled ‹classic›, thinking that since ‹classic› water – the kind that has fallen from the sky since the dawn of time – has always been *still, uncarbonated water*, it must be the same here, right?

No! Millions of years of water history have been conveniently forgotten. ‹Classic› means carbonated, of course. You big silly. Learn to like it. If not, when visiting the homes of your new German friends, you'll request tap water and they'll look at you like you are some primitive savage they just found in the woods covered in a blanket of your own hair.

Related to this is Apfelsaftschorle. You know the scene in movies when people go to therapy and then the therapist asks them to create a happy place? A safe, tranquil spot they can turn to when the world gets too big and scary? Usually it's a beach, or a rocking chair on the front porch of an idyllic childhood home, or something.

For Germans, that happy place is a lake of Apfelsaftschorle where they can swim naked. Tired after a long day of stamping and form filling, confronted with a fifteen-page long restaurant menu, baffled by the burdens of choice, they always retreat to their happy place and order Apfelsaftschorle. It's steady. It's reliable. It's as classic as fizzy water.

For more than a century, Germans were smug with their discovery of fizzy water and their abundant breweries producing fine beers and ales. They didn't believe it could get any better. Then some bright spark tried adding a little apple juice to that fizzy water, creating something that was equally refreshing, yet 6% more fun! It was a near riot.

People were not ready. It was almost too fun. An all-night disco party for the taste buds. Of course, it won't taste like that to you, with your funny foreign palate. Apfelsaftschorle will taste to you as it really is – a fractional improvement on fizzy water's boring taste.

10. DRINK MIXED BEVERAGES

Buoyed by the great success of Apfelsaftschorle, a near universal – sorry, my mistake – *exclusively domestic* hit, the Germans have continued mixing drinks with great aplomb. Everyday it must be a Fest somewhere, right? It'd be only polite to make a punch, just in case. Whole bananas were even put directly into beer by Southern German Biermischgetränke radicals. Some thought that was too extreme. That a line of sanity, drawn long ago, had now been crossed. But the Germans were not done. They were just getting started, in fact. Everyone's favourite sugary black porridge, Coke, would not be exempt. People said you couldn't mix something as strong and sweet as Coke with something as strong and sweet as Fanta. It'll be a mini-Hiroshima for the mouth. There'll be riots in the supermarket. It'll be madness.

No, the Germans replied, it'll be Spezi.

11. EAT GERMAN FOOD

Is that the distant rumble of your stomach I hear? Worry not, my most favourite of foreign friends, in this section we'll look – with all the enthusiasm I can muster – at the cuisine of this fine, fastidious nation …

It's hard to discuss German cuisine without mentioning Wurst, at which point you'll feel like I'm smacking you about the head with the stereotype stick. So I won't. Wurst is important, but I think more for what it represents than how it tastes. Wurst is terribly boring. For a country to have elevated it so highly shows a startling lack of imagination. Which, once you've experienced even more of the German cuisine, you'll have no problem in accepting.

Here, meat is the linchpin of most meals. Being a vegetarian here is probably about as much fun as being blind at the zoo. The only notable time of year is Spargel-Saison, where the country goes gaga as the almighty Spargel is waved around everywhere, like a sort of culinary magic wand, which coincidentally it does rather resemble.

In conclusion, German cuisine is to the world of food what the band Eiffel 65 is to the history of popular music: present, but largely a footnote.

12. KNOW YOUR POTATOES

Anyone who says the Germans lack imagination is wrong. They've just concentrated it in very specific areas, like outdoor clothing, bureaucracy, sentence-strangling compound words, mixed soft drinks and, perhaps most impressively, *forms of potato*. In most countries, potatoes come in the following basic forms: mashed, baked, boiled, fried and, that fickle modern wonder, wedged. Oh, amateurs. You can do so much more with the potato, as illustrated by the Germans, who've done everything possible to the potato, and possibly one or two things more.

To be German, you must memorise and regularly cook at least twelve different types of potato. Here, this simple little vegetable adopts so many forms, it's become a kind of a dinner plate chameleon, effortlessly camouflaging into the spaces left in any Gericht.

Here is a not exhaustive list of German potato types: Salzkartoffeln, Bratkartoffeln, Kartoffelbrei, Kartoffelpuffer, Kartoffelklöße/-knödel, Kartoffelauflauf/-gratin, Kartoffelsalat, Kartoffelsuppe, Rösti, Ofenkartoffeln, Kroketten, Stampfkartoffeln, Kartoffelecken, Pellkartoffeln, Pommes frites, Petersilienkartoffeln, Rosmarinkartoffeln.

The list goes on, but I'm hungry now and there's Schupfnudeln in the fridge. There should be some in yours, too. Off you go …

13. THE ANSWER IS TO BRING KARTOFFELSALAT

You are probably aware of the eminent Russian physiologist Ivan Pavlov and his work on the conditioning of dogs, who he trained to salivate on demand by his ringing a small bell. After finding dogs too easy and malleable to his whim, he set out to look for a tougher challenge, one that has until now received less attention. Discarding the bell and keen to work with people this time, he devised another ingenious experiment in conditioning, only this time on the entire nation of Germany. His goal: when anyone said to a German, ‹You're invited to a party,› or ‹Let's have a BBQ›, every German would instinctively think, ‹I'll make a Kartoffelsalat!› Needless to say, if you've been to such an event and seen seven stacked Tupperware tubs of Kartoffelsalat and not all that much else, you'll already know that his experiment was a perfect success.

14. EAT GERMAN BREAD

Anyone who doubts how seriously Germans take their bread is either a fool, me, or both, like me. For when I first posted some of these steps online, I neglected to mention German bread anywhere. It's possible Germans can also insert yeast into emails, because all these angry ones kept rising to the top of my inbox.

Germans are serious about their bread. This is reflected in their bread, which is serious. As opposed to that fluffy white English nonsense, which they see as an unforgivable waste of yeast. A child's finger painting masquerading as high art. It's true that English bread is of the soft and cuddly persuasion. Sometimes I'm not sure whether to make a sandwich with it or just sort of climb in and have a little nap. It's a bouncy castle for the taste buds. I can see how you wouldn't like that. Frivolous. In comparison, upon seeing German bread, I have the urge to thump my chest and shout ‹Jawohl.› It packs quite the visual punch. Important is the weight (ideally more than an average newborn baby), the colour (rich and dark, like, err, um … swamp mud) and the texture (slightly damp concrete). If dropped, there is an expectation that it should shatter into a thousand pieces. The good news is that it's very nutritious and filling. The bad news is, well, it tastes like German bread.

15. ‹MAHLZEIT!›

German has a reputation for being a no-nonsense, literal language. Whether for its nouns, like naming the nipple the thoroughly unromantic *Brustwarze* (‹breastwart›) or the rather too literal *Antibabypille*, or in its expressions, when sometimes it sounds like you are describing not your mood, but the mechanics of an invisible car: ‹Es läuft› (‹it runs›), ‹Es geht› (‹it goes›), ‹Es passt› (‹it fits›), ‹Alles in Ordnung› (‹everything's in order›).

Those are good for a start, Ausländer, but to be truly German, you have to use the most literal and confusing greeting of all – ‹Mahlzeit!› You could translate ‹Mahlzeit ›as a dish›, or more literally just as ‹mealtime.› When I first arrived in Germany and had lunch in the Kantine, seated and eating my meal, colleagues would arrive and then ‹Mahlzeit› me. Mahlzeit? Mahlzeit? *Mealtime?* Well, of course! You can see me eating. I'm literally right now eating my potato salad. I'm chewing it as we speak! I know it's a little early, but I missed breakfast. Don't judge me!

Only then you realise it's not a question. It's a redundant statement dressed up awkwardly, like a kid in its parents' clothes, parading around as a greeting. So in the interests of assimilation you start using it. It sounds strange at first, but it's actually quite fun, and then you learn that in many parts of Germany you can use it any time that you like! You can call people up at 4 a. m., when you know they are sleeping, and wish them mealtime. Genius. But then the novelty wears off and leaves you wanting more. You wonder why you can't add *-zeit* to other activities and use those as a salutation, beyond just eating. But German literalism starts and stops when it feels like it. Gloves are *Handschuhe* (‹handshoes›), but a hat is not a *Kopfschuh* (‹headshoe›). See someone drinking? You can't wish them ‹Trinkzeit›. Neighbours are having sex loudly again? It's not acceptable to ring their doorbell and greet them with a hearty ‹Fickzeit!› Just ‹Mahlzeit,› alright. Got it?

16. HATE THE GEZ & GEMA

Full? Or as the Germans would say, *satt*? Excellent, so then, my fresh-off-the-Bahn friend, let's leave food behind and look at some of the attitudes and special talents you'll need to develop to become a true German.

Superman has Lex Luther, Luke Skywalker has Darth Vader, Batman has the Joker, and history is littered with the iconic rivalries of good and evil. Germans are no different. They're engaging in a long drawn-out battle with their own arch nemeses – the GEZ & GEMA. Known collectively as the *Spaßpolizei*. Okay, I made that up, but they should be known collectively as the Spaßpolizei. GEZ is TV and radio, GEMA is music copyright. They're responsible for collecting the license fees and distributing them fairly amongst the public TV channels and music artists. I'm sure they started as noble worthwhile causes, but then, like all bad guys, they switched. Getting drunk on their power and crossing to the dark side, becoming a giant, monopolistic pain in the collective German ass.

You don't need to discuss with your German friends their opinions on either the GEMA or the GEZ. I'll save you the time – *they hate them.* They imagine them as caped, camp villains, climbing down through the skylights of the Berghain to break up another Techno party. ‹Everyone having *fun*, are they? Looks like you're all having *fun*! Who's paying for this *fun*, then? Exactly! Thieves!› At which point there is an elaborate, evil laugh, the stereo is unplugged, and the lights are switched on. Partygoers' fists are collectively raised and shaken. ‹Damn you, GEMA!!›

The battle against the GEZ (they've now changed their name to Beitragsservice) is over. In case you missed it, Germany lost.

From 2013 every household now pays a non-negotiable monthly fee to them. The only good part of that is now the cat and mouse game of the GEZtapo knocking on our door to prove we have a TV or radio can stop. My girlfriend has a deep, deep paranoia about the GEZ stretching back to her student days. After we'd first met and I began staying over, she sat me down to explain my explicit legal rights, should I answer her door and it's a GEZ agent standing there. Just in case I forgot, any time the doorbell rang she'd shout, ‹Careful, it could be the GEZ!› After I had founded a company here, they kept sending me letters. Eventually I relented and started paying them via bank transfer. I didn't dare tell my girlfriend, however, since her hatred for them runs so deep she would be happier to hear that I remove € 17.98 from my wallet each month and set it on fire than give it to the GEZ.

17. LEARN HOW TO OPEN A BEER BOTTLE WITH ANYTHING BUT A BOTTLE OPENER

The bottle opener has existed in various formats since about 1738. The only logical reason why Germans can open bottles with just about anything, except bottle openers, must be that bottle openers didn't arrive here until 2011. Since then they've been viewed with suspicion and anyone caught using one declared a witch and burnt at the stake. I remember there was a Website that listed a new way to open a beer bottle every day over the course of a whole year. Some said they had run out of ideas by the end when they suggested opening it on the edge of a turtle's shell. Germans didn't need to read the blog, however, as they knew all these ways already. Turtle's shell? Easy, come on. Try and think of something a little more imaginative. Don't you dare suggest a bottle opener. I've seen people here open bottles with their teeth, even one with their eye socket.

So, Ausländer, you need to learn at least ten ways. Two of which must be with a lighter and a spoon. Turtle shell method optional, but not discouraged.

18. SAY WHAT YOU MEAN

English is not about what you say, but how you say it. German is both, but more the former. So what Germans say tends to be direct and prepared with minimal ambiguity. Ruthlessly efficient, if you will. In English, for example, if you want someone to do something for you, you do not merely go up to that person and ask them to do something for you. Oh no. That would be a

large *faux pas* of the social variety. Instead you must first enquire about their health, their family's health, their children's health, the weather, the activities of the previous weekend, the plans of the upcoming weekend, the joy or sorrow related to the outcome of the most recent televised football match, and only then, finally, can you say ‹by the way,› after which you can begin the actual point of the conversation, before reinforcing that you feel guilty for having to ask, and only if it's no trouble, but would they be so kind as to possibly do this little thing for you. You will be eternally grateful.

Germans do not dance around the point in such elaborate, transparent displays of *faux* friendship. They just say ‹I need this, do it, by this date. Alles klar?› then walk off. Once you've practiced regularly getting to the point, you may find the way to be short but very enjoyable.

As for saying what you mean, Germans have rightly realised that sugar coating is best reserved for cakes. If I'm having one of my momentary delusions of grandeur, I know I can always rely on my German girlfriend to bring me swiftly back down to reality by saying something like ‹Get over yourself, we're all born naked and shit in the toilet.›

19. SPEAK FREELY ABOUT SEX

It is a great joy to live in a society that deals with sex so frankly and without fuss. As if, oh I don't know, it was a completely normal part of life. An act so common there is even compelling evidence our lame old parents engaged in it. Germans understand this. Sex, while perhaps dealt with a little clinically at times, is not a big deal and must not be treated as such. It's like walking the dog or taking out the trash.

Nudity is extended the same perfunctory familiarity. Particularly around lakes in the East of the country, with their history of FKK. When I questioned one of my male colleagues on the need for such overt nakedness when any East German spots a body of water larger than a puddle, this was the reply: ‹If you've never swum naked with five of your best male friends, you haven't lived!›

So, prudish foreigner, relax, put your inhibitions into storage and embrace this no-nonsense approach to nudity and sex. I'm sure you'll find it to be very liberating.

20. DO NOTHING ON SUNDAYS

Picture the scene: An abandoned hospital. Someone wakes up in a hospital bed. The room is locked from the inside. They don't remember how they got there. They are groggy. It's quiet. Eerily quiet. They get up and leave the room, stepping gingerly out into the hall. There are no humans around. It feels like the end of the world. They venture outside to try and find signs of humanity. There is nothing. They start to wonder if they are the only human beings left on earth. Maybe it was a killer virus. It's quiet, *too quiet*. Sounds familiar? Yes, this is the start of most zombie movies. It's also a description of the average Sunday in Germany. At least in catholic or rural areas. A day in which washing your car is considered an act of vigilantism against the sacred Sonntagsruhe.

So clear your calendar. This is the day you get nothing done. Relax. *Or go hiking*. They seem to be the two primary and completely contradictory options. There is of course one exception, though. One Sunday activity that is compulsory for you to partake in:

21. WATCH *TATORT*

In my first WG (shared flat) we had a TV attached to a skateboard that lived in a cupboard. It was only wheeled out once a week for a TV show called *Tatort*. Friends of my room-mates would come by, the TV would be set up in the kitchen, elaborate meals would be cooked and shared, then silence would descend. The *Tatort* ritual would begin.

If you dare to ask a German, ‹Is *Tatort* actually good?› the response is usually very amusing. You would think since they watch it with such rigid vigour, privately or as part of the public viewings in Kneipen, they must really love it. Yet, they usually don't say yes. They make a shocked face, as if that's a new question and they've not really thought about it before. It's as if you had asked them, ‹Do you believe in gravity?› Then, usually, they'll conclude that whether *Tatort* is good or bad is utterly irrelevant. Every culture has its inherited customs. For the Germans, it's Sunday *Tatort*. So for you, it's the same. Inherit it without question and with great enthusiasm. There is no other choice.

22. IT IS NOT TRUE UNTIL YOU'VE READ IT AT *SPIEGEL ONLINE*

Living here, you'll notice Germans are not given to the spreading of rumour or hearsay. They prefer anecdotes born of peer-reviewed, scientific journals of fact. Gossip is for the inferior of mind. Anecdotes should begin with things like ‹Scientists say› or ‹It's been proven that.› But there is one exception and that exception is *Spiegel Online*. Arriving in the office of my first job in Germany, nearly everyone's monitor would be displaying the same red and black Website. So many, indeed, that for the first week I actually thought it was the company's Intranet. Then I learned it was *Spiegel Online*, the place where things become true. Not because of the quality of their journalism, but just the vastness of the Website's reach within Germany. It seems every-one reads *Spiegel Online*.

At lunch my colleagues would be in the kitchen, discussing what they'd read, safe in the knowledge that everyone else had already read it. But then in future, curiously, if the same topics came up again, they'd all suffer a form of *Spiegel*-amnesia, for-getting where they'd learnt this piece of information. I assume this is because no-one wants to admit they are all reading the same thing. So instead they say things like ‹I read somewhere that …,› or ‹I can't remember where I heard it, but …›

Next time that happens, you can gently remind them: you read it on *Spiegel Online*. *It's not true until it's on Spiegel Online.*

23. ALWAYS SEND FRIENDLY GREETINGS

It's an accepted internet rule that you can say pretty much what-ever you want, as long as you put :) at the end. *LOL* optional, but encouraged. This removes the option for the receiver (and joke's victim) to be allowed to be offended. After all, there was a smiley face, it was a joke. If you are offended, that's your fault, you should get a sense of humour. Germans have a similar rule for their communication, but they've substituted the smiley face for *LG* (‹lovely greetings/regards›, crudely translated) or *MfG* (‹with friendly greetings›), *VG* (‹many greetings›) or the highly innovative, new *MvflG* (‹with many friendly lovely greetings›), which I may or may not have just made up. You can be as mean and aggressive as you want, as long as your message is gift-wrapped in a parting *LG* or *MfG*, zum Beispiel:

‹Hallo Adam,

I really enjoyed your *How to be German* steps, and I'm German! However, you are wrong. Points 1, 52, 74, 1213, 835 534 are wrong. You also didn't mention the Deutsche Bahn. How could you not have mentioned how much we Germans hate our Deutsche Bahn?!?! Unforgiveable. I hate you. I'm thinking now about sadistic, slow ways to kill you. I'm thinking about what I might do with your body. It would be a kind of toy for me, a play thing. There's a high probability I'd pickle it. Your skin will make a fine cushion.

MvflG
Stefan›

I'm not even going to question the logic of signing off with the greeting, an act traditionally saved for the beginning. Just remember to sign off everything with *MvflG* and let's move on.

24. PROST!!!

24 steps already? Wow, you're almost half way through your quest for citizenship. How time has flown. I barely recognise you now. Let's celebrate your progress with a drink! But first, there's one awkward minefield of a German custom you'll need to learn how to navigate – that is how to ‹Prost›.

I imagine prosting (saying ‹Cheers› before you drink) used to be fun. You're in a group, with the luxury of enough money to buy this drink, enough time to devote to the drinking of it, enough friends that want to socialise and drink with you. Prosting is really an act of happy comradery. A short, sweet, clinky ‹Fuck you› to the world and its petty problems. When I first arrived here, I prosted casually as I would in England. Maybe we touched glasses, maybe not, maybe we just lifted them ever so slightly more than we would need to reach our mouths, tipped them in the direction of our friends, then drank. Or maybe not. Maybe we just drank. This is not acceptable here. All holders of all beverages must compete in a sort of awkward drinking dance, in which everyone must make very, very obvious eye contact with everyone else, in turn, and all glasses MUST touch all other glasses. Then, like in ice skating, judges, who've been watching from the periphery, hold up scorecards for all participants, showing how successfully they've taken part across a range of criteria such as ‹did they clink against every glass, in a logical, clockwise manner› and ‹duration and intensity of eye contact›.

25. DRINK BIONADE, BUY BIO

Upon arrival in this oh so foreign land, you'll see many a German tipping back their heads and pouring into themselves curiously-coloured liquids from glass bottles marked *Bionade*. Keen to assimilate you'll try it for yourself. After all, so many Germans are drinking it, so it must be good, right? Well, no, not really. It's okay. It's mostly taste bud indifferent, but in liquid form. You'll wonder what all the fuss is about. I'll tell you what all the fuss is about …

The company *Bionade*, being marketing geniuses, include the word *bio* in their name. Germans have a built in must-buy reflex when confronted with any product that is labelled *bio* or contains the word *bio*. You could sell them a chocolate bar of children's teeth if you called it *duBIOus*. Let me tell you why …

You see, supermarkets here are confusing places. You can't find what you want. Everything seems to involve Quark. Faced with a wall of unknown brands you attempt to discern which the quality ones are. That is the point at which all the wheels fall off the wagon. Everything here is apparently of high quality. Or will at least tell you so on its packaging. Even the worst, cheapest, microwavable-in-sixty-seconds burger will claim to be *premium*. Or even *super premium*. *Luxus*. *Deluxe*. *Super deluxe*. *Super luxus deluxe*. In fact, it often feels as if there's an inverse relationship between the quality of the product on the shelves of German supermarkets and the quality declared on the product.

So, a new category was needed, one that would represent the consumer apex, the pinnacle, a mark of unquestionable quality – *bio*. Hence the must-buy reflex. Which will continue working nicely, at least until someone labels something *super bio* and the whole cycle starts again.

26. RECYCLE

Germans are passionate recyclers and so you must be as well. Probably because it combines three of their favourite things into one earth positive activity – environmentalism, organisation and anal retentiveness. Just try putting something made of paper in your German friend's plastic bin. Alarms will be triggered. Lectures on appropriate recycling will be given. Friendships may be strained.

At the first company I worked for here, we had three separate bins for different types of rubbish. Of course, we used them as labelled. Those that did not recycle correctly were chastised loudly and then forever treated with caution, as if they were not people but sticks of dynamite that were bound to go off at some point. One day, much to everyone's disbelief the cleaner informed us that downstairs in the building's central rubbish room they just combined all of our office's waste from the three bins into one big bin. Mein Gott! Our recycling efforts were futile. You would think, armed with this knowledge and liberated from the hassle of sorting our rubbish, we just started to put everything in one bin in future, right? No. We continued to separate it just like before, using all three bins. Because that's what you do. This is Germany.

27. STICK TO THE RULES

If you've been to the cinema here, you'll know the seats come in two types and prices – neckache and non-neckache. Neckache is the first rows from the front, and to be at the back you've got to pay more. I've not seen tiered seat pricing in other countries. It's a pretty horrible system when you consider that instead of just watching the film on your laptop, in your bed, you've gone to the effort of putting on your coat and shoes, leaving the house, going all the way to the cinema to pay nine euros to sit in an icy cold, dark room to watch a movie that won't even end properly with a nice conclusive ‹happy ever after› like it did in the old days, because now everything has to be a trilogy, and then a prequel trilogy, and so on until before you notice it, you're sitting down to watch *Spiderman 417*. Really cinemas should pay you for making all the effort to actually visit them, rather than charging you extra to sit in the back, but I've wandered off my original point …

Why I really like going to the movies in Germany is because it's one of the rare times I have the pleasure of watching my German girlfriend break a rule. For a fleeting moment we're not our normal lame selves, but are transformed into anally retentive, suitably dressed, tax paying Bonnie and Clydes. Why? Because we never pay for the expensive seats. But we always sit in them. Feel free to be greatly shocked now …

In the beginning, it was not easy to coax her to the back. In fact, she flat out refused. There was a system. Germans respect rules and systems, which is the point of this step and what you must learn. In this case, it's a very capitalistic system, but a system and a rule nonetheless. A rule the majority of Germans follow. I have no doubt that if the average German entered a

Kinosaal to find it completely empty, except for one other person who was sitting in their prescribed seat, they'd check their ticket five times, and then ask them to move.

Then I came up with a plan. When asked where I would like to sit by the ticket seller or when reserving online, I began picking the far left corner of the front row, which annoys her so much, she's willing to break the rules and come with me to the back and an illicit premium seat. It does result in me getting hit several times, which I consider merely an acceptable cost of doing nefarious business. She accompanies me to the back with great trepidation. As if we were not merely defrauding the cinema of two euros, but defrauding the European Central Bank of millions in an elaborate heist involving safe crackers, gymnastic midgets and exploding pens. Once seated at the back, she refuses to relax until about half way through the movie when she's absolutely certain the seats we're in will not be claimed by any rightful owner. Until then she visibly squirms in her contraband seat every time the doors open, looks in genuine physical pain, and repeatedly says ‹I hate you, I hate you, I hate you.› I'm not sure what she means by that. I've no time to think about it, since I'm busy staring straight ahead and enjoying the movie from our vastly superior and neckache-free seats.

THE NATION OF GERMANY PRESENTS

OBEY THE RULES

COPYRIGHT: ORDNUNG MUSS SEIN GMBH!

28. LOVE YOUR CAR

It's very time consuming for German men to have to keep pulling their penises out for comparison against the other men they meet. It also tends to be rather distracting for the other people who are present. So they've evolved other ways to rank themselves, the favourite being *cars*. When my girlfriend told her father she had a new English boyfriend, his first question, before my name, age, job, interests, etc., was ‹What kind of car does he drive?› Germans are serious about their cars. They're also pretty good at making them. Possibly those two things are related, but since I can't think of any jokes in the linking of them, I'll conveniently ignore that and just move to a reminder that if, like me, you know nothing more about cars than that they're like bicycles but have two more wheels, you won't fit in here. Research. Do an internship at BMW or Porsche. Watch Formula 1. Study the schematics for engines. Buy winter tyres for your car. I don't care if you don't have a car. Buy them anyway. Make a little effort, people …

29. KLUGSCHEISSEN

As a marketer, I was always told: *Never let the truth get in the way of a good story*. In Germany, it's the opposite: *Never let a good story get in the way of the truth*. For Germans, truth is sacred and prayed to from the altar of fact.

Therefore, it's also very important to correct other people when they say something incorrect, no matter how small and utterly inconsequential it might be. They are wrong. You are aware of this. It's your duty to inform them. This, the Germans call *klugscheißen* ‹smart shitting›, literally translated). Germans being whip-smart fact-lovers are world champions at the Klugscheiß.

If someone were to say, ‹Yeah, we were just in China at the end of October, we spent a week in Hong Kong and then in Shanghai,› they'd be immediately interrupted by their partner, who would correct them by saying, ‹It wasn't October, we flew out on November 1st at 10:37 a. m. From Tegel. You bought a bagel in departures, remember? With cream cheese.›

‹Okay, November 1st. Fine. My bad.›

Then someone else wanting to join the Klugscheiß party would add, ‹Actually, Hong Kong is not a part of China like Shanghai. It's a Special Administrative Region, which affords it certain legislative freedoms.›

‹Okay, we were in Shanghai and Hong Kong, which is a Special Administrative Region of China, affording it certain legislative privileges, for two weeks from the 1st November.›

‹Thirteen days. We were only there for thirteen days. Not two weeks.›

‹Hmmpfh. I give up.›

There are various tactics for dealing with being repeatedly klugscheißed: You can just stop saying anything ever and cite a fear of incorrectness as the reason for your vow of silence; or you can create a T-shirt that says, ‹It really doesn't matter though, does it?›, which you can point at every time it happens; or you can accept that you can't beat them and so should just join them, experiencing the great joy that can be found in not very delicately informing people of their minor factual incorrectness.

30. INTERROGATE JOKES

Germans have the unfortunate reputation of being humourless. That's not true. German humour is like German bread: dark, dry, not to everyone's taste, but in plentiful supply. The key difference between our two nations and their approach to funny is that Germans like their humour to make logical sense. In England there is the concept of a flippant remark. So, if it's raining heavily, you can say ‹Nice weather for ducks,› and your conversation partner will just nod, or maybe even smile. They know that what you said makes little sense and is merely a silence eradicating bit of word fluff. A simple, bonding witticism to pass the time. It's not important whether it makes sense. It does not require further thought. Until now, little Ausländer. Now it matters. Oh yeah. It matters a lot. To you. You're German now. Don't judge the joke primarily by how funny it is. That's for amateurs. You're going pro. Judge the joke firstly by how feasible it is. An offhand witticism at ducks liking rain should become a fifteen minute long analysis about the implausibility that ducks feel either one way or the other for any type of weather. Don't just laugh at the silly things the Irishman does, enquire as to where the Englishman, Irishman and Scotsman met? Why would they board a plane with only one parachute? Is that even legal? How did they arrange a meeting with the Pope? Exactly why would a bear walk into a bar?

To be truly German you must subject even the shortest quip or joke to vigorous further questioning as if it were the prime suspect in a violent murder of sense and reason.

31. DON'T LIGHT YOUR CIGARETTES
FROM A CANDLE

As a writer, I make money when people buy things I've scribbled all over. Like this book for example. Thanks for buying that, really kind of you. Sadly, there's not that many of you book-buyers left. Not since some happy idiot invented motion picture, and things suddenly had to writhe around in front of us to be worthy of our attention. Then the Internet came along and told everyone that everything should be free. Then global time sink Facebook arrived and swallowed whatever spare time was left from a populace now too busy, too distracted to sit in a room quietly reading some old bits of dead tree. These days being a writer is mostly just an elaborate exercise in financial futility.

Does anyone care? No. Do Germans care? No. Should they care? No.

Yet there is one amusing and endangered minority that the Germans do try to protect. The humble sailor. Next time you find yourself in your local Raucherkneipe, try lighting your cigarette from a candle. There's a good chance someone will make a kind of disapproving *oooohhhh* sound, tut or generally shake their heads in a disapproving manner. Because you just bankrupted another sailor. Nice one, asshole. The story of this amusing superstition is as follows: In the good old days of yesteryear, sailors were off plundering and trading and generally making nautical nuisances of themselves. Except in the lean winter months when, struggling for sailing jobs, they started selling matches to earn a living. So popular German logic dictates, by lighting a cigarette from a candle you are not using the matches of a sailor, and so depriving them of their living. Rendering them destitute. Some even say a sailor dies instantly the moment someone lights a cigarette from a candle. This is without factual merit and I suspect is a rumour started by sailors themselves.

Germans still believe that sailors should be exempt from the challenges of commerce. Until that changes, it will never be fine to light your cigarettes from a candle.

P. S. Did you know that every time you watch a YouTube clip a novelist dies? 100% true. Step away from that cute cat video, murderer.

43

32. FENSTER AUF KIPP

There is a widespread belief in South Korea that sleeping in a closed room while a fan is on can cause death. *Fan death* it's imaginatively called. While scientifically possible, it's about as probable as winning every lottery on earth, all at once, whilst being struck by lightning. Still, it's a widely held belief and, because of it, fans there are equipped with timers.

Germans have their own version of fan death. Because we've all praised German builders and engineers so much, many Germans have come to believe that they don't build apartments and homes but air tight fortresses. As a result, many Germans believe Erstickungstod (death by suffocation) is a serious concern if fresh air is not regularly allowed to circulate in their Zwei-Zimmer-Wohnung. Therefore, German windows have been built with a special Kipp (tilt) mode, leaving the window approximately 10% open, in a fixed position. Even in the dead of winter, it's not uncommon to walk into a German's bedroom and find the window kipped and the room cool enough to freeze meat. If not kipped, then regular Stoßlüftung (rush airing) is required. This is when you open the window fully for a short time to allow cold air to flood in and attack the evil, stale, warm air. This also explains why Germans are deeply distrustful of air conditioners, which just sit around mocking them, churning out old, recycled carbon dioxide.

The love of kipping can be quite a problem for international relationships. The English put an apartment's heating on fully from the 1st October, then don't touch it again until late April. We're not used to a winter of Fenster auf Kipp. So we have to play a sort of heating tag with our German partners. In which we wait for them to go to sleep, quietly close the window they've

had open all
day, then put on
the heating to drift off into
a warm, toasty slumber. By morning
the good times are over, as our spouses have
awoken, surprised and thankful that they did not suf-
focate during the night, turned the heating immediately off,
and reopened the window again.

Brrr. Get used to that cold feeling, you're a Kipper now.

33. FEEL MIXED ABOUT BERLIN

Alright, young Ausländer. We can't have you holed up in your stuffy Wohnung for too much longer. At some point you'll have to get out there and explore all the exotic corners of this fine, large, Wurstparadies of a country. So let's devote a few steps of this guide to helping you in your geographic endeavours. First up, Berlin.

The average German has a complex relationship to their Hauptstadt. Berlin is the black sheep of the German family. Creative, unpunctual, prone to spontaneous displays of techno, unable to pay its taxes, and overly familiar with foreigners. To many Germans, Berlin is not really their capital, but more like a giant art project or social experiment that only turns up when hung over and in need of a handout. To them, the true capital is probably somewhere more like Frankfurt. You know where you are with Frankfurt.

34. HATE BAVARIA

Every pantomime needs its villain. For Germany, the wicked witch is Bavaria. Firstly, it had the misfortune to be based right down there in the corner, far enough away that we can all say mean things about it and it won't hear, and not central enough that it could claim real geographic importance. It then had the audacity to become the richest state, but not quietly and with humility, but in a gregarious, badly dressed, heavy drinking, God greeting, country bumpkin sort of way. It's a source of wider German mirth since, while only one part of this huge country, it's responsible for 91% of all wider held German stereotypes and 100% of the annoying, inaccurate ones.

35. HATE THE SAXONY DIALECT

There is one area of German life of which there is absolutely no debate. Where it seems that sometime ago a poll was taken, and there was a clear winner. The result was on *Spiegel Online* and so became a fact: The worst dialect in Germany is Sächsisch. It's official; ask 100 people, 99 will immediately answer ‹Sächsisch›. People that speak it are not real Germans apparently, but yokels with speech impediments, just recently down from their caves in the mountains. When I tell somebody I studied German at the Volkshochschule Leipzig, a look of horror appears across my conversation partner's face, as if they can't believe they grant licences to language schools in Saxony. It's as if I just admitted learning parenting from Michael Jackson. *Nu klar.*

36. PICK A SIDE, RESPECT THE DIVIDE

The UK has a strange ‹will they, won't they› relationship with the Continent, and you'll often here us saying baffling things about ‹going on holiday to Europe.› You see, borders of the mind can live on for many years after any real, physical ones have come down. It's the same here. More than twenty years after reunification, the East/West divide still lives on in the minds and prejudices of many Germans, well beyond the monthly payment of their Solidaritätszuschlag. It's not uncommon to meet Germans who've never had more than a weekend trip to the other half of their country. This mental divide can be glimpsed in the occasional comment or an unusual phrasing like ‹A friend visited from the West,› or ‹Oh, they also have that in East Germany as well?›

Talking to some (particularly older) East Germans, you get the feeling they still think of the West not as another part of the same country, but as a sinister, capitalist McDonald's theme park where it rains money and the gift shop never closes. Older West Germans, meanwhile, think East Germany is the bunker where Osama bin Laden was hiding out.

37. FAHRE SCHWARZ

In the UK, we know that the greatest risk to safety is complacency. The satisfied, complacent human is like the Neanderthal that relaxes after a big feed and settles down to sleep by the fire, only sleeps so deeply that they don't hear the approaching lion. So, much like the USA, we treat our society as if it were a snow globe. Any time it looks like the snow is settling and everything is picturesque and tranquil, the government and media shake everything up again. *Foiled terrorist plot! More CCTV cameras! Recession! Impending health epidemic! SARS! African bees!*

What's important is that people are freaked out and fearful. That'll keep them alert, that'll keep them safe. This is the reason why when a stranger talks to a child in a park, the parents now automatically assume the person to be a kidnapper or paedophile. It's just safer that way.

Because of all this paranoia, when you ride the London Underground, security is bountiful and there's always an aroma to the air, somewhere between depression and impending doom.

Let go of that fear now, young foreigner. In Germany, public transport is powered by trust. You may not have seen that word for a while, so I assure you it's not a type of rust. It's an act of faith, that means there are no security barriers here. There is a ticket machine. You buy your ticket. You ride the public transport. Or you don't buy the ticket, and you can still ride the public transport. This is called *schwarzfahren*. The choice is yours. It's a lovely, liberating thing. If you choose to do the dishonourable thing and not buy a ticket, that's also okay. Despite being very rule-conscious people, many Germans fahren schwarz. Without shame. You'll see ticket inspectors enter the carriage and, with a cheeky grin of recognition that they're caught, all the

Schwarzfahrers remove their ID cards and hold them out, ready for their fine. Not as if they'd just broken the law, but totally naturally and nonchalantly. As if a bill long expected has now arrived on their door mat, and now it's time to pay.

38. GET QUALIFIED

Well, well, well. You've had quite some fun recently, right, my most daring Ausländer? Riding around with a valid ticket. Out cavorting with your new favourite nation folk in Bavaria and Berlin. Who's going to pay for all those good times, then? You, of course. It's time for your first tentative steps into German employment.

When I first moved here, I was given the following advice: ‹In England, it's he who drinks the most and doesn't vomit on his shoes that gets the girl. Here, it's he who knows the most about philosophy that gets the girl.› That's an exaggeration, but holds a kernel of truth.

Germans, on account of their excellent school system (at least in comparison to the English) and the extraordinarily long time they tend to study, are an intellectual bunch. As a result, they also tend to have a great number of qualifications.

Vanity always needs an audience, and intellectual vanity is no different. So the Germans needed to create situations in which they could gently remind other Germans how much more qualified they are than them. An outdated idea in English culture, where everything is on a first-name basis, where I am Adam, he is John, and it's what's in our head that shows our qualifications and intelligence. Here, it's the letters before or after your full name, letters that are used when addressing each other, for example Herr Dr. or Frau Prof. Dr. h. c. Schmidt ... none of this first name over-familiarity business. Even the humble doorbell offers an opportunity for neighbour one-upmanship, where academic qualifications can be listed.

You can expect occasional smirks and reassuring pats on the shoulder when you tell your German friends you only have a BA in Theatre Studies, as if they have a newly found respect for the fact you can already manage to dress yourself properly.

Urkunde

Dr. Prof. Prof. Ing.
MAX MUSTERMANN M.A. M.Sc.
Ph.-B.A. D. DH FH LLB

Is Awarded a Doctorate in
DEUTSCHEAKADEMISCHETITELVERSTÄNDNISERKENNTNIS
from the
VEREINIGUNGDEUTSCHERGESAMTBÜROKRATISCHER-
VERWALTUNGSEINRICHTUNGEN

39. ENLARGE YOUR CV

You know when sometimes you're online and you try to load a Webpage and it just sort of gets stuck. No biggie, you just wait and refresh and a couple of seconds later the page appears. Do you know why the tubes of the internet got clogged for those few seconds? I do. A German, somewhere, just emailed a prospective employer a copy of their CV. You see, German CVs are not like the CVs of other countries …

Towards the end of my university degree there was a special course about how to secure a job. We discussed interview techniques, networking, and CVs. The crafting of a real stand out CV. Those lessons consisted mostly of my teacher getting angry and yelling at us to make them shorter. Shorter, people, shorter!

He'd parade statistics about how the average CV is read for just four seconds, and so we'd make them shorter again. As a result my CV is just four lines long, it says ‹I am a nice man. Good skills. Clean teeth. Hire me.› Then there's my email address and a giant picture of a bespectacled unicorn.

That just doesn't cut it here. To be a true German, your CV must be at least seventeen pages long, before appendices, of which there should be at least twenty. By now, English CVs are almost anonymous. We're not even allowed to put our age on them anymore, in case it encourages ageism. Here, your German CV must begin with a professional model shot of yourself. Next it should move on to your academic qualifications. Put the oldest ones that no-one cares about right up on top, like your Gymnasium grades. Don't put any personal stuff in the CV. No-one's interested in your hopes, dreams, or five-year plan. Just list the facts of your life, like an obituary for the still living. This is Germany – we peddle fact, not anecdote. *Career charlatan.* Then, include a scan of every certificate and qualification you have ever received. Came second in your school's sports day high jump event back in 1998? Include it. It demonstrates your drive and commitment. Then move on to references. The more the merrier. To be on the safe side, you should get one from everyone you've ever met. After those, anything goes. Shopping list from 1987? That essay you wrote when you were nine about a particularly enjoyable summer holiday, for which you received a 1.0? Yeah. Stick those in. Got siblings? What's your marital status? Children? What do your parents do? All vital information when assessing your ability to answer telephones in a call center. List everyone's names, ages and jobs, just to be safe.

To be truly German is not to send prospective employers a CV, but a giant document; death by minutiae.

40. FIND A ‹REAL› JOB

Good news, fearless cultural ambassador, the German economy is rocking. You might yet avoid the baffling, Kafkaesque fortress of despair that is visiting the local Arbeitsagentur. Even in the East, where formerly struggling cities like Leipzig have redeveloped themselves into buzzing logistics hubs. So, armed with all those new qualifications and letters before your name, you'll have no problems finding work. But not all work is equally prized. There is an unspoken scale of careers, known, but not acknowledged, by all Germans. Real jobs and not real jobs. For a profession to count in Germany, it should have existed for at least a hundred years, be vaguely scientific, or at least dense enough that it requires half a lifetime of study and the opportunity to acquire 67 different academic qualifications. It should be impenetrable to outsiders, and shielded in its own complex language. Ideally, it should also start with an *e* and end in *ngineering*. But other accepted professions are scientist, lawyer, doctor, teacher, something that involves organising things on a large scale, like logistics, or anything to do with cars. Otherwise, when people ask you about your job, the same will happen to you as happens to me. I reply ‹I'm a marketer,› at which point someone says, ‹that's not really a job though, is it?›

41. FAIL AT SARCASM

It's not easy being British. Bad genes, bad diet, tendency to apologise for everything, including apologising for always apologising for everything. What's also difficult is that for reasons to do with Monty Python, everyone thinks all 60 million of us are *Marmite*-eating, stand-up comedians. That no-one gets anything done, since we're always doubled over, belly laughing at the hilarious quips of our islands' compatriots. As a result, there's social pressure on us to always be funny. After all, we're British. You know, Monty Python, etc.

Germans suffer from the opposite problem. Humour is difficult for them because no-one thinks they have any, so they have to work doubly hard to prove people wrong. Which often means, when someone makes a poor joke about Germans having no humour or says something inappropriate about the war, they have two options. Firstly, they can laugh even though it's not funny, to prove Germans do have a sense of humour. Which only increases the odds that people will continue making those lame jokes. Which they'll have to keep laughing at. Or, secondly, they don't laugh, reinforcing the stereotype that Germans have no sense of humour. It's a comedy Catch-22.

A similar problem confronts Germans attempting sarcasm. Sarcasm is not a popular part of German comedy. It's mostly practised by international Germans who picked it up elsewhere like dengue fever for the funny bone and have been trying to infect their compatriots ever since. In my experience, there is about a 90% chance any sarcasm attempt by a German will fail, because no-one suspects they are trying to be sarcastic, and so everyone just takes them literally, which results in conversations like this one:

‹Yeah, well, in Finland every house keeps a penguin as a pet.›

‹Really?!? I never read that anywhere. Inside the house?›

‹No, don't be silly …› (rolls eyes, adopts increasingly sarcastic tone) ‹in an igloo in the garden!›

Heads are shaken. ‹Really?!?! Das macht keinen Sinn.›

‹Yeah, REALLY. Penguins are the Finnish dog. They walk them on leads, it's very normal to see penguins waddling along on their morning walk.›

‹Was that on *Spiegel Online*?›

‹Yeah, it was on *Spiegel Online*, they interviewed one of the penguins.›

‹Das ist nicht logisch. How can you interview a penguin?›

‹Oh, mein Gott! I was being sarcastic! Of course they don't keep penguins as pets.›

In our friends group, we've got around this problem by creating a German-attempting-sarcasm-card. It's not a real card, it's more like an imaginary ceremonial card that you brandish above your head like a football referee would a red card. Then everyone knows to laugh at the sarcasm you are about to produce. Like air leaving a punctured bicycle tyre, it does let some of the fun out, but enables Germans to successfully partake in the pithy fun that is sarcasm.

42. LEARN TO ENJOY BUREAUCRACY

I really enjoy watching those slightly pompous period movies with kings, earls and knights. There's always a point in which a messenger ‹must leave at once› with some wax-sealed, official correspondence to deliver, which he does, after riding all night, arriving, someone blowing a horn, a drawbridge is lowered, the messenger, out of breath, dismounts and says something overly formal like ‹I carry tidings from the house of Elrond.›

While it would be an exaggeration to say Germany is still like this, the Germans, like the people of that earlier time, do still revel in the ceremony of authority. They like to think of themselves as Dichter und Denker (poets and thinkers) but it would be perhaps more apt to label them Stampers and DINers. It's as if they see bureaucracy's red tape not so much as a restriction, but something offering them safe, secure padding against life's sharper edges.

If Paperspiel was a sport, I feel confident in suggesting it's the Germans who'd triumph at the Olympics. The Germans would be there, carrying their little wooden trees of stamps, and pulling a Handwagen stacked head high with all their different clips, hyper-specialised stationery, and official documents full of compound German legalese like *die Rechtsschutzversicherungsgesellschaft* (a company offering legal protection insurance).

It would be an annotated, sorted and highlight-filled drubbing.

UMSCHLAG C5/6 (DL) — ISO 269 · DIN 678
FÜR BRIEFBOGEN A4 · ZWEIMAL GEFALTET NACH DIN 676/5008

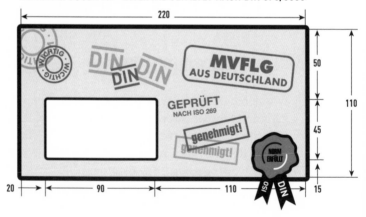

43. *GUT GUT, NAJA, ACH SO, ALLES KLAR &* *UND SONST SO*

The German language can seem intimidating. Even with all that effort you've put in, you might become disheartened that you'll never wrap your tongue around this most perplexing of lingos. Worry not. I'm going to help you now. I didn't want to tell you about this language hack earlier, because you might not have put so much effort into learning German the traditional, painful way. Worry not, friend, you can speak German immediately, right now. Or at least most of it. The important, small talk parts. All you need are the five most spoken German phrases, which make up 60% of spoken conversation. *Gut, naja, ach so, alles klar* and *und sonst so*. Whole conversations can be held using just these most flexible of German phrases, which can be combined into nearly any order:

‹Na?›
‹Ja.›
‹Ach so.›
‹Alles klar?›
‹Naja.›
‹Gut gut.›
Pause
‹Und sonst so?›

NAJA **ACH SO**

ALLES KLAR **UND SONST SO**

44. PRACTICALITY TRUMPS EVERYTHING

There's one regular point of contention between my German girlfriend and me, which I think also hints at a wider ideological gap between the Germans and many other nations. A gap you may also have to jump on a regular basis. We call it *English romanticism vs. German practicality*. Anyone who has seen how English women dress for a winter's night of partying will know that practicality is not a primary concern of ours. Like magpies, hoarding anything shiny, we evaluate things first by their aesthetic value, then, secondly (or not at all), by their practicality. Germans tend to value practicality above all else. This is why they regularly say things like:

› Das ist doch unlogisch.‹
› Das macht aber keinen Sinn.‹
› Total unpraktisch.‹
› Wirklich sinnlos.‹

Now, you don't have to wait for someone to knock on the door and try to sell you a chocolate teapot before you say those. You can just say them in response to someone's opinion you don't agree with. That's very normal here.

This cultural difference is most noticeable when discussing apartments. To be German, your response when asked about your apartment should be pure, naked facts. Like you're not discussing a place where you raise your children, but reading a criminal's charge sheet or medical prescription. It's very important you know the exact euro per square metre price. Start with that. Then the total number of square meters and number of rooms. Then move on to the Kaltmiete (rent price), next the

Nebenkosten (additional costs). Next is if it has a balcony. Then exact type of parquet flooring. All Germans appear to be experts on parquet flooring varieties and can discuss at length their individual merits. Important when you'll only touch it with your houseshoes anyway. After that you can say where the apartment is geographically or if you actually like it. If you want. Up to you. After all, you've said all the important stuff already.

45. TRAVEL SERIOUSLY

Well, I'd say you've worked so hard fitting in, it's time you take a little break. How about a foreign holiday? Sadly, travelling with/ as a German is also problematic. If you're going to behave correctly, oh cultural explorer, you've much to learn. See, new land = new risks. The first step of the German Projekt Urlaub is to understand the potential hazards of this foreign land and ensure they are negated through extensive insurances and proper travel equipment. Even a weekend excursion to the Baltic Sea may require the use of high-tech hiking footwear with special soles, zip-off trousers, a drink canister, and a lot of those special hook things that climbers use. Maps must be printed. Routes planned. Backup routes found. Backup backup routes found.

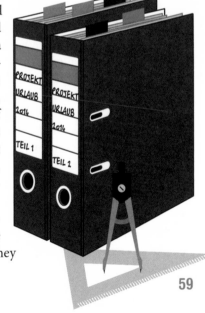

On arrival in more distant lands Germans are often disappointed when they see these countries are just not run efficiently. Their disapproval will manifest in sentences like ‹They said the bus would leave at 6 p. m. It's 6:15 p. m. already. *Typisch!*›, ‹A bathroom this badly ventilated is just a magnet for mould›, or ‹Is a simple split bill just too much to ask from these people?›

Germans abroad are part traveller, part Techniküberprüfungs-employee, tallying health and safety violations with their eyes, marking off locations of emergency exits and toilets. Arriving at a restaurant you'll see them mentally arranging the furniture with their eyes for optimum Fluss (flow). Travelling is a little bit about getting to use all of the various foreign languages they know, but mostly an opportunity to be reminded firsthand about just how much better everything already is in Germany.

46. KNOW THAT BIRTHDAYS ARE SERIOUS BUSINESS

In Germany, birthdays are not just a convenient excuse to eat cake, be asked repeatedly annoying questions about how it feels to be a day older, then get drunk and pass out under a pile of coats. No, here, celebrating your birthday is serious business. In fact, the possibility of you committing a social *faux pas* is so high, it's maybe better to cancel the whole thing and just age silently, without fanfare. Firstly, know that *you* have to bring cake into the office for everyone. Even though it's your birthday and people should really do the nice things for you. Not the other way round. It's also vitally important you celebrate only on the exact day. Growing up in the UK, we were allowed to pick which day would be our birthday. So if it was a Tuesday, we could just move it to the weekend before. That became our birthday. We had our presents, people wished us happy birthday, we had a party. Then Tuesday would arrive and be treated just as any other Tuesday. After all, we had our birthday on the previous Saturday. Birthdays were just abstract concepts that meant it was socially acceptable to wear party hats and hog all the limelight.

In Germany you don't just go moving your birthday. You were born on the 1st March. That is your birthday. That is the day of your birth. That specific date commemorates your expulsion from your mother's body. You can change the day of your birth just as successfully as you can grow a second nose. So don't even try, *liar*. If you do have to move the day for logistical reasons, only move it to a date after your real birthday. Because being wished a happy birthday before your real birthday is considered terrible luck here. Judging by the level of superstition afforded to it, it must increase the chances of you dying before your real birthday by about 74%. It's also important that you know the exact time to the minute that you were born. So you can celebrate your birthday more truthfully and precisely, which is, after all, what's really important.

PARTY IN:
3, 2, 1...

47. WATCH *DINNER FOR ONE* ON NEW YEAR'S EVE

If I told you that one night of the year, all the German TV channels play the same movie, on a loop, for a whole evening, you'd probably think … why? Or, that must be quite some movie. Is it *Jaws 2*? I liked that one best.

I'm not quite sure why, and no, it's not *Jaws 2*. In fact it's an English movie, and even more surprising is that they don't dub it. But it's not an English movie any English person has heard of. Should you walk the high streets of England and conduct a survey, asking people which English movie is so loved that on one night of the year all the German TV channels play it on a loop, I feel confident in suggesting this movie would not make the list at all. It's an English movie that English people don't know is an English movie. Or even a movie. Or even a thing.

It's an obscure black and white live performance of an English comedy called *Dinner for One*. They've been showing it on New Year's Eve here for around forty years. I know Germans who claimed to have watched it nearly all forty of those years, sometimes several times in one evening. Watching it is an inherited custom, done by the young and the old. Since it's on nearly every channel, it's hard to ignore. Even if you're attending a New Year's Eve party, it'll probably be on in the background, like an old friend who pops in just once a year and in whose honour you have a little gathering.

No-one seems exactly sure why or how watching *Dinner for One* became a New Year's Eve institution. I have a theory. I think it's fairly obvious the executives of the TV channels felt guilty about all the horrible dubbed shows they force upon the masses over the year, and so they got together to make amends, agreeing that all of the channels would offer one movie in English, on a loop, for an entire evening. It's like those freezing cold plunge pools you find at saunas. A short, sharp immersion, then back to normal. They picked New Year's Eve because they figured no-one would be sitting around watching TV. It's Germany after all, everyone will be off dancing, giddy from schnapps, or out blowing things up, right? Well, kind of. Which leads me to my next step ...

48. FORGET ANYTHING YOU WERE EVER TOLD ABOUT FIREWORKS

Three quarters of the movie *The Wicker Man* are about a foreigner investigating a strange land in which nice, hospitable, but slightly strange people keep getting naked. Then, while he is still trying to understand that, suddenly there's a festival and everyone goes completely insane. While he's trying to restore order and remind everyone just how dangerous their behaviour is, they not only ignore him, but drag him off somewhere, and then set him on fire.

This is not the plot of a fictional movie. It's the accurate description of Silvester (New Year's Eve) in Germany.

In England, we're taught that apart from wrestling a lion while you are smeared in peanut butter, or doing absolutely anything whilst it's snowing, the single most dangerous thing you can do is set off fireworks. Each time you set one off, there's about a 50% chance you'll die, instantly. I don't know if that's related to the fireworks themselves, or if a long time ago someone placed a gypsy curse on the English and we've been busy blowing ourselves up ever since. Fireworks are so dangerous that we have national TV commercial campaigns just to remind us about the dangers of using sparklers. Yes, sparklers. I think more people receive injuries a year from pillow fights or falling coconuts than from sparklers. Here, I've seen people light sparklers in the middle of a dense concert crowd, use them on cakes, even lighting them indoors. Indoors! *Unthinkable.*

I once saw someone deliberately fire a rocket at a woman riding a bike. It hit her on the chest. She shrieked. It just sort of bounced off and fizzled out. This was quite an anticlimax. My English education had taught me that she should have spontaneously combusted, and then he would go immediately to prison for such an act of obvious terrorism.

New Year's Eve in Germany is the evening in which all the nice, normal, practical, risk-averse people are replaced by gunpowder-touting, death wish-seeking pyromaniacs. Running around lighting fireworks with reckless abandon. Sections of the country become much like downtown Baghdad on market day. In Germany, leaving the house on New Year's Eve is like stepping into a giant, 80 million person multiplayer game of *Bomberman.*

Perhaps the only comfort that can be taken from it is that if anything does go wrong, everyone is suitably insured.

49. HATE SCHLAGER, KNOW EVERY WORD

If you've ever seen the 1999 movie *Idle Hands*, you'll know there's a rare condition called Alien Hand Syndrome, in which a person's hand develops a will of its own, actively working against the wishes of its owner. Germans suffer from a lesser known but equally debilitating condition, similar to Alien Hand Syndrome, only affecting their entire body. It's called *Schlageritis*.

You'll be sitting with them in a beer garden somewhere. It'll reach that time in the party when someone will put on some Schlager. You'll see the symptoms of Schlageritis grip your German comrades immediately. First, they'll make a combination of grunting, moaning, complaining noises before telling you how much they hate Schlager, and how it's the musical equivalent of having your intelligence repeatedly insulted for three min-

„EIN STERN DER DEINEN NAMEN TRÄGT ..."

SCHLAGERITIS
ANTI-SCHLAGER MEDICATION
(EARPLUGS)

utes, except over an artificial drum beat. Ignore them. This is an attempt to distance themselves from their Schlageritis. It's denial. Next, you'll notice they start moving their hands a little. Almost against their will. Then they'll try to keep talking normally, but accidentally one or two of the lyrics will slip out of their mouths. Every German automatically knows every word to every Schlager song. It's inherited knowledge, passed down in their genes, like tribes of the rainforest who know instinctively which plants you can eat and which will make you into lumpy, dead human soup.

They'll try to fight back against their developing symptoms. To get control of their hands they might sit on them, before talking loudly about some new insurance they've found. Or they'll try to distract themselves by making a joke. Maybe they'll suggest someone should invent Schlager insurance, which pays out compensation every time anyone is forced to hear a Schlager song. By now they'll be squirming uncomfortably in their seats, as their bodies are trying to force them up and out dancing, singing, prosting strangers.

It's at this point that they have only two options left. They can remind you once more how much they hate Schlager and then force you to leave with them. Or they can give in to Schlageritis and just relax into the party. Usually they pick to leave. If they pick the second option they do it sneakily, by trying to disguise their enjoyment as being ironic. *Schlager music is so bad I'll mock it by pretending it's good. Look at my big fake grin! Aren't I having fun? Lalalalalala, ‹I've ne Zwiebel auf dem Kopf, I'm a Döner,› hey!*

Do not be fooled, Ausländer, they're loving it. You must too.

50. SAY TSSSSSSSSSSSSSCHÜÜ-HÜSSSSSSSSS

So, like all good things, even this fun little exposé of German culture must come to an end. I'm proud of you, my little Ausländer, for making it through the first 49 steps. Is it still right to call you an Ausländer? No! I don't think so. Not anymore. You're obviously really trying to fit into a country not renowned for giving the warmest of welcomes to its foreigners. Your commitment and enthusiasm is highly commendable. No doubt you've already enlarged your CV, lengthened your breakfast, and gained more qualifications. You're a credit to this fine, creditworthy country. Congratulations! *My little honorary German.* So then, with sadness and final thank you for having read this far, the only thing left for me to do is say ‹Tssssssssssssschüüüü-hüssssssss,› which is step 50.

With the exception of Oktoberfest, Germany is not famous for its excesses. It's actually rightly appreciated for its modesty and humility. Fine, fine traits. While us Brits were out living it up on bank-sponsored credit, spending hundreds of thousands of pounds on these little boxes where we'd house ourselves, the Germans stayed in their rented homes, in their beloved kitchens. There is, however, one area where they really like to let their collective hair down, where they can get really wild and flamboyant, and that's when saying the word *tsssssssssssssssssssss sssssssssssssssssssssssssssssssschhhhhhhhhhhhhhhhüüüüüüüü-hüüssssssssssssssssssss.*

I'm not exactly sure how many letters long the word *ttttttttttt tttttttttsssssssssssssssssssssssssssscccccccccchhhhhhhhhhhüüüüü-hüüsssssssss* is, but I'm pretty sure you can't lay it in a game of Scrabble. It should take approximately five seconds to say and be delivered not in your voice, but in one you've borrowed from a slightly better, more musical, pitch-perfect version of yourself.

Tsssssssssssssssssssssssssssssssssssssssssssssssssssschhhhhhhhhhh hhüüüü-hüüssssssssssssssssssss, honorary German, tssssssssssss sssssssssssssssssssssssssssssssssssssssschhhhhhhhhhhhhhhhhüüüü-hüüssssssssssssssssssss.

SSSSSSS
SSCHÜÜ-HÜÜ
SSSSS...

Frühstücke ausgiebig, buche alle
deine Urlaube Jahre im Voraus,
zieh dir was Vernünftiges an
und gehorche dem roten Ampelmann!

Wie man Deutscher wird erklärt all die kleinen
Absurditäten, die das Leben in Deutschland
so herrlich machen. Das Buch ist Pflichtlektüre
für *little foreigners* wie für all diejenigen
Deutschen, die ihr eigenes Land immer noch
nicht so ganz verstanden haben. Wir lernen,
warum die Deutschen so frei über Sex sprechen,
warum sie so sehr von *Spiegel Online* besessen
sind und warum sie alle davon träumen,
nackt in einem See aus Apfelsaftschorle zu
schwimmen. Am Ende von Adam Fletchers
Liebesbrief an Deutschland bleibt nur noch
zu sagen: «Alles klar!»

ADAM FLETCHER

ist Engländer, dreißig Jahre alt, glatzköpfig und lebt in Berlin. Wenn er nicht gerade Bücher oder Artikel schreibt, verbringt er seine Tage meistens damit, sich größtenteils erfolglose Produkte für sein Unternehmen *The Hipstery* auszudenken, Schokolade zu essen und zu schlummern. Er widmet dieses Buch seiner Ossi-Freundin Annett, da sie es ihm ungefähr 18 000 Mal nahegelegt hat und er sich von ihr jetzt einfach ein bisschen Ruhe wünscht. *How to be German* begann als Blog, der zu Adams großem Erstaunen mehr als eine Million Leser fand und Tausende von Kommentaren erhielt, die Adam mitteilten, wie Recht und wie Unrecht er hatte. (Das Ergebnis war Schritt 29: Klugscheißen.) Adam schrieb daraufhin etwa dreißig neue Schritte, erweiterte einige alte und ließ alles illustrieren – das Resultat ist dieses Buch. Mehr über Adam und die Möglichkeiten ihm zu sagen, wie Recht/Unrecht er hat, unter http://hipstery.com.

ROBERT M. SCHÖNE

ist Deutscher, Einsiedler und freiberuflicher Grafikdesigner. Die meiste Zeit verbringt er damit, seltsame Schriften und Illustrationen mit Delphinen zu sammeln. Er hat 37 der 50 Schritte von *Wie man Deutscher wird* erfolgreich absolviert, weigert sich aber resolut, beim roten Ampelmännchen zu warten oder «richtige» Arbeit zu finden.

ADAM FLETCHER

WIE MAN DEUTSCHER WIRD

IN 50 EINFACHEN SCHRITTEN

EINE ANLEITUNG VON
APFELSAFTSCHORLE
BIS TSCHÜSS

Aus dem Englischen
von Ingo Herzke

Mit 50 Illustrationen
von Robert M. Schöne

C.H.BECK

1. Auflage. 2013
2. Auflage. 2013
3. Auflage. 2013

Originalausgabe

4. Auflage. 2013
© Verlag C.H.Beck oHG, München 2013
Satz: Fotosatz Amann, Aichstetten
Druck und Bindung: Kösel, Krugzell
Umschlagabbildung und -gestaltung: Robert M. Schöne
Printed in Germany
ISBN 978 3 406 65364 3

www.beck.de

«Würden Sie gern nach Leipzig ziehen?»
«Ich weiß nicht, wo das ist», sagte ich.
«In Ostdeutschland.»
«Oh. Ähm. Ja, warum nicht.»

Aufgrund dieses Gesprächs zog ich nach Deutschland. Ich stand in einem Zimmer meines Elternhauses in Cambridge, England, und telefonierte mit dem Mann, der mein neuer Chef werden sollte. Es war im ungewöhnlich warmen Sommer 2007. Ich hatte vor wenigen Wochen mein Studium beendet und schon einen sehr netten Job gefunden, der es mir erlaubte, bei meinen Eltern zu wohnen und einen Teil meiner Studienkredite abzubezahlen. Das klang zwar theoretisch sehr vernünftig, funktionierte aber in Wirklichkeit weniger gut. Nach nur zwei Wochen elterlichen Bekochens und Wäschewaschens fiel mir die Decke auf den Kopf. Und selbst wenn die Stimme am anderen Ende der Leitung gesagt hätte: «Leipzig ist eine eisige Höhle in Sibirien ohne WLAN», hätte ich wahrscheinlich trotzdem geantwortet: «Oh. Ähm. Ja, warum nicht.»

Ich wusste schon immer, dass ich ins Ausland wollte. In England fühlte ich mich nie so recht zu Hause: ein Land, wo man sich entschuldigen muss, wenn man sich für Dinge interessiert, die nicht wie ein Fußball aussehen oder in Pint-Gläsern serviert werden. Wo man den Smalltalk perfekt beherrscht. Wo es mir immer schwer gefallen war, richtige Freunde zu finden. Ich nehme an, so erlebt das nicht jeder, aber mir ging es so. Ich wusste also, ich würde weggehen, doch ich wäre nie darauf gekommen, dass Deutschland mein Ziel sein könnte. Das Land war auf meinem Radarschirm nie wirklich aufgetaucht. Ich wusste zwar un-

gefähr, wo es liegt, geografisch gesehen. Wir hatten sogar in der Schule ein bisschen was darüber gelernt: Der Lehrplan begann mit dem Jahr 1918 und endete 1945. Doch selbst als ich im Sommer vor jenem Telefonat mit dem Rucksack durch Europa gereist war und sieben oder acht der angrenzenden Länder besuchte, hatte ich nie auch nur daran gedacht, nach Deutschland zu fahren. Wie gesagt, ich hatte es einfach nicht auf dem Radar.

Bis ich infolge dieses Telefonats, ein wenig aus einem Impuls heraus und nur mit meiner eigenen Unwissenheit ausgerüstet, dorthin zog. Es war großartig. Schlicht großartig. Mein erstes Jahr in Deutschland war zweifellos das schönste meines Lebens. Die guten Deutschen, die sich meiner annahmen, beschenkten mich mit viel mehr Wärme, Gastfreundschaft und guter Laune, als ich jemals verdient hätte. Etwa sechs Jahre später kann ich viele von ihnen immer noch stolz zu meinen Freunden zählen. Zuerst Leipzig, dann Berlin: Nur in diesen beiden Städten habe ich so gern gelebt, dass ich sie mit dem abgegriffenen Wort *Heimat* bezeichnen würde. Es wäre leicht, dieses Buch als das eines dummen Ausländers abzutun, der sich über deutsche Klischees lustig macht. Ich hoffe, so wird es nicht aufgenommen. Ich hoffe, meine Zuneigung zu den Deutschen und ihrer Kultur scheint durch allen Spott und Spaß immer hindurch. Und die Spitzen verteilen sich einigermaßen gerecht auf mich selbst, die Engländer und schließlich, wo es passt, auf deutsche Verhältnisse und Gewohnheiten. Es spricht so viel für dieses Land, und es könnte auf so vieles stolz sein. Doch seltsamerweise ist Patriotismus jeglicher Art hier tabu.

Nun, wenn ihr es selbst nicht dürft, dann tue ich es für euch. Ich bin stolz, ehrenamtlicher Deutscher zu sein. Und wenn du, lieber Leser, auch einer werden willst, dann wird dir diese Anleitung in fünfzig kleinen Schritten vielleicht helfen. Fangen wir an ...

1. HAUSSCHUHE ANZIEHEN

Also, mein little foreigner: Dein erster Tag als angehender Deutscher. Du bist in deinem Bett aufgewacht, wo du gemütlich und sicher auf einer festen, praktischen Matratze geruht hast. Nun machst du sorgsam das Bett, oder vielmehr deine Betthälfte. Denn du solltest in einem Doppelbett mit zwei getrennten Matratzen und zwei Bettdecken schlafen; dabei geht einiges an nächtlicher Romantik verloren, doch zum Ausgleich dafür ist es viel praktischer, und nichts ist den Deutschen wichtiger.

Und jetzt Vorsicht! Noch nicht vom Bettvorleger treten, denn die Wahrscheinlichkeit ist sehr hoch, dass der Fußboden ein winziges bisschen kälter ist als erwartet! So kalt, dass du eine Art Morgenschock erleiden könntest. Und darum brauchst du Hausschuhe! Die sind ein fester Bestandteil deutschen Wesens.

Ich würde euch gern erklären, warum die Deutschen so in ihre Pantoffeln vernarrt sind. Ich habe mehrere gefragt, habe aber noch keine endgültige Antwort. Nicht etwa, weil sie es mir nicht erzählen, sondern weil die Antwort stets so unglaublich unromantisch, vernünftig, praktisch und langweilig ist, dass mein fröhliches kleines Barfußhirn schlicht nicht weiß, wo es derartige Informationen ablegen soll, und daher gar nicht mehr versucht, sie im Gedächtnis zu behalten.

2. LANGE FRÜHSTÜCKEN

Als Engländer war ich sehr erstaunt, wie wichtig den Deutschen ihre Küche ist. In England betrachtet man sie als reinen Funktionsraum, wie die Toilette, nur mit Kühlschrank. Man geht rein, tut, was man tun muss, und geht wieder raus. Herzstück des Heims ist das Wohnzimmer.

Nicht so bei den Deutschen: Sie sind am glücklichsten, wenn sie die meiste Zeit in der Küche verbringen. Es ist der praktischste Raum des Hauses – man hat hier einen Tisch, Wasser, Kaffee, Essen, ein Radio und anständige Sitzmöbel, die eine gute Haltung fördern. Die Deutschen haben richtig erkannt: Wenn es mal ganz dicke kommt, verschanzt man sich am besten in der Küche.

Ein deutsches Frühstück ist nicht einfach eine Mahlzeit, sondern ein kunstvolles Festmahl. Beim Wochenendfrühstück ist jeder Quadratzentimeter Tisch von einer riesigen Auswahl an Käse, Aufschnitt, Obst, Marmeladen, Honig, Aufstrichen und anderen Zutaten bedeckt. Es sieht aus, als hätte jemand eingebrochen und auf der Jagd nach Wertsachen den Inhalt sämtlicher Vorratsschränke auf den Tisch geschüttet.

Mein erstes Frühstück in einer deutschen WG zog sich so lange hin, dass ich ins Frühstückskoma fiel und die anderen mich mit *Eszet* wiederbeleben mussten, einer Art Schokoladentäfelchen, das man sich aufs Brot legt. Ich wusste bis dahin nicht, dass man Brot und Schokolade auf legale Weise kombinieren kann. Es war eine echte Offenbarung. Seither lege ich *Eszet* einfach auf alles

Essbare, und allmählich habe ich gelernt, bei den langen, ausgedehnten deutschen Frühstücken mehr und langsamer zu essen.

Die schlimmste Fernsehshow, die ich je gesehen habe, kam aus England und hieß *Touch the Truck*. Die Spielidee – wenn man sie großzügig so nennen darf – bestand darin, dass eine Menge Leute einen Lastwagen anfasste, während das Publikum wartete und zuschaute. Wer als Letzter den Lastwagen losließ, hatte ihn gewonnen. Manchmal habe ich den Eindruck, das deutsche Frühstück funktioniert nach ähnlichen Regeln, wobei das Frühstück den Lastwagen ersetzt, und als Preis winkt, naja, ich weiß nicht so recht … vielleicht so wenig Zeit wie möglich bis zum Mittagessen zu haben?

3. PLANEN, VORBEREITEN, DURCHFÜHREN

So weit, so gut. Sieh mal an: Du bist früh aufgestanden, hast das Radio eingeschaltet, sicher dröhnt Depeche Mode aus dem Lautsprecher, und du nimmst ein langes, langsames und nachdenkliches deutsches Frühstück zu dir. Du akklimatisierst dich bestens, young foreigner.

Nun aber musst du dich in den Kopf der Deutschen hineinversetzen. Wenn du Deutscher werden willst, musst du wie ein Deutscher denken, was kein Kinderspiel ist und später noch im Einzelnen behandelt werden soll. Für den Anfang musst du aber erst einmal die drei Grundpfeiler deutschen Denkens und Handelns akzeptieren: Planen, Vorbereiten, Durchführen.

Der richtige Deutsche weiß Risiken einzuschätzen, versichert sich, soweit es geht, und bereitet sich auf alles vor, wofür es keine Versicherung gibt. Ein jeder ist seines Glückes Projektmanager. Planen und vorbereiten: Fertige Tabellen, Diagramme und Listen an. Überleg dir, was du täglich machst, und denk nach, wie du es effizienter erledigen kannst.

Ist es beispielsweise möglich, die Schuhverwahrung so zu organisieren, dass die am häufigsten gebrauchte Fußbekleidung sich möglichst weit oben befindet, weil sich so die Bückzeit reduziert? Mir egal, ob du siebzehn Jahre alt bist, du brauchst fast eine ganze Minute zum Schuheanziehen, besorg dir einen Schuhlöffel! Optimiere deine Prozesse!

Man nennt es vielleicht Spontaneität, aber deshalb kann man es trotzdem organisieren. Spaß hat seinen Ort und seine Zeit, und die muss im Voraus festgelegt und im Kalender vermerkt werden. Alles andere ist Leichtsinn und Chaos. Setz dich also hin und mach einen Plan für den Tag, dann für die Woche, dann für den Monat. Und dann buch deine Urlaube bis 2017. Um die Sache zu vereinfachen, fahr einfach immer an denselben Ort. Wie wär's mit Mallorca? Alle anderen Deutschen fahren auch dorthin, also muss doch irgendwas dran sein.

4. SICH VERSICHERN

Jeder weiß, was für ein Dschungel das da draußen ist. Also, mein unerschrockener foreigner: Ehe du dich hinauswagst und anfängst, an den Lianen des Lebens umherzuschwingen, solltest du dich vernünftig versichern. Die Deutschen haben allerdings eine überbordende Fantasie, darum haben sie es mit ihrem Konzept ‹Vernünftig versichern› ein wenig übertrieben.

Sei nicht überrascht, wenn alle Deutschen, die du kennen-
lernst, einen persönlichen Versicherungsberater haben. Meine
Freundin kommuniziert öfter mit ihrem Versicherungsberater
als ich mit meiner Mutter. Würde jemand eine Versicherungs-
versicherung erfinden – also eine Versicherung gegen den Fall,
nicht ausreichend versichert zu sein –, könnten wir erstaunt zu-
sehen, wie 80 Millionen Menschen vor Glück sterben.

5. ZIEH DICH VERNÜNFTIG AN

Tag geplant? Versicherungen abgeschlossen? Toll. Gute Arbeit!
Jetzt wird's Zeit, deine Schlumperklamotten abzulegen, nach
draußen zu gehen und dem Tag die Stirn zu bieten. Dazu
brauchst du passende Kleidung.

ACHTUNG, FOREIGNER! ACHTUNG! Da draußen war-
tet etwas, was man Natur nennt. Und die ist wankelmütig – trau
ihr auf keinen Fall! Sie spielt ihr eigenes unlogisches und wech-
selhaftes Spiel. Am besten wappnest du dich für alle Unwägbar-
keiten. Du brauchst – teure Outdoor-Kleidung! Schließlich
gehst du *vor die Tür*, und es heißt *Outdoor*-Kleidung, also muss
sie wohl nötig sein.

Du solltest jederzeit für mindestens drei Jahreszeiten geklei-
det sein. Hol dir diese supercoolen Jack-Wolfskin-Shrousers –
die langen Hosen, die man mit zwei Reißverschlüssen in eine

kurze verwandeln kann. Wenn auch nur die geringste Möglichkeit besteht, dass du irgendwann den Bürgersteig verlassen musst, zieh dir auf jeden Fall hochwertige Wanderstiefel an. Alles andere wird in Deutschland als Knöchelselbstmord betrachtet.

6. DEUTSCH SPRECHEN

Jede Nation hat Dinge angestellt, für die sie sich schämen sollte. Dunkle Flecken in der Geschichte. Da sind die Deutschen keine Ausnahme. Ihr wisst, wovon ich rede – von *der deutschen Sprache*. Deutsch ist in erster Linie ein undurchdringliches Gewirr von Ausnahmen. Ein Verlies, um Ausländer darin einzusperren und in Geiselhaft zu nehmen, wobei man sie wiederholt mit unverständlichen und im Großen und Ganzen nutzlosen grammatischen Instrumenten misshandelt, deren einziges Verdienst es ist, sehr, sehr deutlich und ausdrücklich klar zu machen, wer was hat und was wem von wem angetan worden ist.

Die schlechte Nachricht ist: Wenn ihr euch voll und ganz unter die Deutschen mischen wollt, müsst ihr die Sprache lernen. Das ist im Prinzip gar nicht so schwer und erfordert zwei Schritte: Vokabeln lernen und Grammatik lernen. Vokabeln lernen macht großen Spaß. Die meisten Wörter ähneln dank unserer gemeinsamen Vorfahren sogar ihrem englischen Gegenstück. Ihr werdet daher eine Weile lang rasante Fortschritte machen und es genießen, euch solche Leckerbissen wie *Schwangerschaftsverhütungsmittel*, *Haarschmuckfachgeschäft*, *Muckefuck* und *Streicheleinheiten* auf der Zunge zergehen zu lassen.

Dann beginnt ihr, voller Selbstvertrauen angesichts der vielen kleinen Bausteine, die ihr schon angesammelt habt, die Grammatik zu lernen, den Kitt, der aus eurem Gestammel richtige, zusammenhängende deutsche Sätze macht. Und jetzt wer-

det ihr euch verraten und verkauft fühlen. Denn deutsche Grammatik ist Unsinn.

Das Englische ist – linguistisch gesehen – immer schon die größte Schlampe von allen gewesen. Es gibt und nimmt von anderen Sprachen. Es tut, was es kann, um jedem zu gefallen. Es ist immer leicht zu haben. Meine Lieblingserklärung dafür ist, dass die Deutschen eben trotz allen ernsthaften Bemühungen in Sachen Weltherrschaft nie so erfolgreich waren wie wir Engländer. Anders als das Deutsche wurde das Englische deshalb immer wieder gezwungen, Brücken über die kulturellen und sprachlichen Abgründe zu bauen, die zwischen uns und den Ländern lagen, die wir gerade eroberten (Entschuldigung, *kolonisierten*). Mit der Zeit mussten wir die Ecken und Kanten des Englischen abschleifen oder, um es etwas weniger vornehm auszudrücken: Wir schmissen alles Schwierige raus.

Die englische Sprache musste sich notgedrungen ganz anders entwickeln als die deutsche. Deshalb hat das Deutsche die grammatische Komplexität des Altenglischen behalten, während sich das Englische daran machte, sich auf ein massenkompatibles, idiotensicheres Niveau herunterzukochen.

Nehmen wir als Beispiel die Geschlechter. Im Altenglischen sind sie noch da, inzwischen aber verschwunden, zur allgemeinen Erleichterung. Im Deutschen haben sie sich bedauerlicherweise in Form von *der, die, das* störrisch gehalten, sind jedoch vollkommen willkürlich verteilt. Sicher, es gibt ein paar vage Anhaltspunkte, bestimmte Wortendungen, die auf ein Genus hindeuten, und gewisse Wortgruppen, zum Beispiel sind alle Wochentage und alle Monatsnamen männlich. Das hilft vielleicht bei 30 % der Substantive. Bleiben immer noch 70 %, deren Genus man einfach auswendig lernen muss. Ihr könnt natürlich auch beschließen, aus Gründen der Gleichberechtigung der Geschlechter ganz auf die Artikel zu verzichten. (Sehr witzig. Ha ha.) Wie dem auch sei ...

Ihr werdet viel Zeit mit dem Auswendiglernen von *der, die,*

das vergeuden (Profitipp: Substantive immer gleich mit Artikel lernen – sich das Genus nachträglich einzuprägen, ist viel zeitraubender und ineffizienter). Doch wenn man das Genus der Substantive nicht kennt, kann man den Substantiven und Adjektiven nicht die korrekten Endungen geben. Das ist zwar auch absolut überflüssig und trägt keinen Deut zur besseren Verständlichkeit bei. Aber ohne richtige Deklination bestellt man womöglich ungeheuer dämliche Sachen wie «einer großer Wasser» statt «ein großes Wasser». Ich weiß, oberpeinlich.

Natürlich gibt es Sprachen, die noch schwerer zu lernen sind als Deutsch. Darum geht es gar nicht. Auch im Englischen gibt es Dummheiten, wie zum Beispiel die hartnäckige Neigung, Wörter anders zu schreiben, als man sie ausspricht. Der Unterschied ist jedoch: Das Englische hat die Freundlichkeit, am Anfang einfach zu sein und euch dann langsam und aufmunternd in die Höhe zu geleiten, mit einem Minimum an grammatischen Stolpersteinen. Das Deutsche setzt euch einfach vor einen steilen Berg, wünscht «Viel Spaß» und macht sich davon, während ihr mit dem mühsamen, schmerzhaften Aufstieg beginnt.

Als ich anfing, die Sprache zu lernen, was meist so aussah, dass ich keinerlei Fortschritte machte, einfach herumsaß und rummeckerte, erinnerte mich ein Freund sanft daran, dass einige der klügsten Dinge, die je niedergeschrieben wurden, in dieser Sprache verfasst sind. Ihr müsst das Deutsche also zuerst nur respektieren, lieben lernen könnt ihr es später.

7. OUTGESOURCED, DOWNGELOADED & UPGEGRADED

Wir sind im 15. Jahrhundert, Russland wird von den Mongolen beherrscht. Ein Bauer und seine Frau gehen eine staubige Straße entlang. Ein mongolischer Krieger hält sein Pferd neben ihnen

an und sagt dem russischen Bauern, er werde nun Sex mit dessen Frau haben und der Bauer müsse zuschauen. Aber da der Boden so staubig ist, muss der Russe auch noch die ganze Zeit die Eier des Mongolen halten, damit sie nicht schmutzig werden. Als der mongolische Krieger fertig ist, steigt er wieder aufs Pferd und reitet davon. Die russische Bauersfrau ist verständlicherweise verstört. Sie sitzt weinend am Boden, während der Bauer anfängt zu lachen und vor Freude umherzuspringen. Seine verblüffte Frau fragt ihn: «Wie kannst du Luftsprünge machen, nach dem, was gerade passiert ist?» Der Bauer antwortet: «Ah, weil ich zuletzt lache – seine Eier sind nämlich *doch* schmutzig geworden!»

ICH HABE ES GESPLATTED!

An dieses Gleichnis muss ich denken, wenn ich Deutsche Wörter wie *upgraden*, *getoastet*, *outgesourced* und *downgeloaded* benutzen höre. Die meisten Deutschen, die ich kenne, sind leidenschaftlich bemüht, ihre Sprache zu schützen; als wäre sie ein flugunfähiger Vogel, umgeben von einer linguistischen Löwenherde, oder ein zerbrechliches Ei, das vor dem Angriff der Anglizismenlöffel bewahrt werden muss. Anglizismen werden vor allem von faulen Marketingleuten benutzt, die ihre Slogans und Schwafeleien etwas knackiger und exotischer machen wollen, indem sie ein paar witzige fremde (meistens englische) Begriffe einstreuen. Ich halte die Furcht der Deutschen für berechtigt. Sprachen haben sich immer bei anderen Sprachen bedient, doch in Zukunft wird das Englische, wie ein besonders enthu-

siastischer Mannschaftssportler, viel mehr Wörter abgeben als aufnehmen, was an seiner Stellung als internationale *lingua franca* liegt.

Aber, meine lieben Deutschen, wenn ich euch dabei ertappe, wie ihr Ausdrücke wie *outgesourced* und *downgeloaded* benutzt, wird mir das Herz schwer. Nicht genug, dass ihr eins zu eins das englische Wort in englischer Schreibung verwendet, wo ihr doch ein ebenso gutes deutsches Äquivalent hättet, nein, ihr hängt auch noch die englische Vergangenheits-Endung *-ed* dran, die es im Deutschen nicht gibt. Da haben wir also ein englisches Wort, englisch geschrieben, englisch konjugiert – doch wie in einem seltsamen letzten Akt des Sprachpatriotismus klemmt ihr dann das vollkommen unnötige deutsche Präfix *ge-* mitten rein.

In solchen Augenblicken fällt mir der Russe ein, der im Angesicht eines bereits verlorenen Krieges seinen winzigen Triumph feiert. «Ah, aber das Deutsche lacht zuletzt – es hat nämlich ein *ge-* in die Mitte geschmuggelt!»

8. DEM ROTEN MANN GEHORCHEN

Ich glaube, das oft übertriebene Klischee, dass Deutsche liebend gerne Regeln befolgen, lässt sich einzig und allein auf ein kleines leuchtendes rotes Männchen zurückführen: Schutzheiliger und Gott des Straßen überquerenden Fußgängers. Diese Autorität herauszufordern, kühn auf eine vollkommen leere Straße zu treten, solange es noch glüht, heißt sich in große persönliche Gefahr begeben.

Natürlich nicht in die Gefahr, überfahren zu werden. Schließlich ist die Straße vollkommen leer. Solange dich kein unsichtbares Auto übermangelt, bist du sicher. Nein, die wahre Gefahr droht von den umstehenden Deutschen, deren Verachtung, Ta-

del und wütende «Halt!»-Rufe du heraufbeschwörst. Sie betrachten dich nun als verantwortungslosen und womöglich selbstmörderischen gesellschaftlichen Renegaten.

HALT! Warte auf das grüne Ampelmännchen. Nimm es als ausgefeilte Übung in Sachen Selbstkontrolle. Die wirst du brauchen, damit du nicht ausrastest und um dich schießt, wenn du das erste Mal in der Ausländerbehörde erscheinst und feststellst, dass niemand dort Englisch spricht.

9. APFELSAFTSCHORLE TRINKEN

So, mein most excellent, fearless foreigner, das war ein anstrengender Vormittag, oder? Ich bin begeistert von deinem Anpassungswillen. Machen wir eine kleine Pause. Durst? Da habe ich genau das Richtige ...

Zuerst musst du wissen, dass die Deutschen jedes Getränk fürchten, das nicht sprudelt. Schon beim Gedanken daran bricht ihnen kalter Schweiß aus. Es hat großen komödiantischen Reiz, in Deutschland Touristen und Ausländer zu beobachten, wie sie Wasser mit dem Etikett «Classic» kaufen. Natürlich nehmen sie an, weil «klassisches» Wasser – das Zeug, das seit Anbeginn der Zeiten vom Himmel fällt – schon immer *stilles Wasser ohne Kohlensäure* war, muss das doch auch hier so sein. Oder?

Nein! Die Millionen Jahre alte Geschichte des Wassers hat man hier praktischerweise vergessen. «Classic» bedeutet natürlich mit Kohlensäure, du alter Dummkopf. Gewöhn dich dran. Lern es zu mögen. Andernfalls musst du, wenn du deine neu gewonnenen deutschen Freunde zu Hause besuchst, um Leitungswasser bitten. Sie werden dich anschauen wie einen primitiven Wilden, den sie gerade im Wald gefunden haben, bedeckt nur von seinen eigenen Haaren.

Mit diesem Phänomen verwandt ist die Apfelsaftschorle. Ihr kennt die Szene aus Filmen, wenn Leute zum Psychiater gehen und der Therapeut sie auffordert, sich einen Ort des Glücks zu schaffen. Ein sicheres, stilles Plätzchen, wohin sie sich begeben können, wenn die Welt zu groß und beängstigend wird. Meist ist es ein Strand oder ein Schaukelstuhl auf der Veranda eines idyllischen Elternhauses oder so etwas.

Für Deutsche ist dieser Glücksort ein See aus Apfelsaftschorle, in dem sie nackt baden. Wenn sie, erschöpft von einem langen, harten Tag des Stempelns und Ausfüllens von Formularen, angesichts einer fünfzehnseitigen Speisekarte von der Qual der Wahl schier erdrückt werden, dann ziehen sie sich an diesen Glücksort zurück und bestellen Apfelsaftschorle. Die ist verlässlich, beständig und so klassisch wie sprudelndes Wasser.

Über ein Jahrhundert lang bildeten sich die Deutschen viel auf ihre Entdeckung des Sprudelwassers ein und auf den Reichtum an Brauereien, die ihnen gutes Bier brauten. Sie glaubten, besser könne es nicht werden. Dann versuchte irgendein schlauer Kopf, ein wenig Apfelsaft ins Sprudelwasser zu mischen, und

schuf etwas, das ebenso erfrischend war, aber 6% mehr Spaß machte! Das hätte beinahe zu Aufruhr geführt.

Die Leute waren einfach nicht bereit dafür. Es war zu viel des Genusses. Eine Endlos-Disco-Party für die Geschmacksknospen. Euch und eurem komischen Ausländergaumen wird es natürlich nicht so vorkommen. Euch dürfte Apfelsaftschorle so schmecken, wie sie wirklich ist – nur eine Idee besser als das langweilige Sprudelwasser.

10. GETRÄNKE MISCHEN

Ermuntert vom Riesenerfolg der Apfelsaftschorle, die sich zu einem schon fast weltweiten – ähm, Entschuldigung – einem *ausschließlich einheimischen* Renner entwickelte, machten die Deutschen mit dem Getränkemischen selbstbewusst weiter. Es muss doch jeden Tag irgendwo eine Party geben, oder? Dann ist es nur eine Frage der Höflichkeit, vorsichtshalber eine Bowle anzurühren. Süddeutsche Radikalpanscher gingen sogar so weit, ganze Bananen direkt ins Bier zu geben. Einige meinten, das sei zu extrem, damit habe man eine vor langer Zeit gezogene Grenze des gesunden Verstandes überschritten. Doch die Deutschen hatten noch nicht genug. Sie fingen im Gegenteil gerade erst an. Nicht mal jedermanns süßer brauner Lieblingstrinkbrei, Coca-Cola, blieb verschont. Viele behaupteten, ein so zuckriges und geschmacksverstärktes Getränk könne man nicht mit einer so zuckrigen und geschmacksverstärkten Sache wie Fanta mischen. Das sei ein Mini-Hiroshima für die Zunge, und es würde zu Ausschreitungen in den Supermärkten führen. Es sei reiner Wahnsinn!

Nein, entgegneten die Deutschen. Das sei Spezi.

11. DEUTSCHES ESSEN

Höre ich da in der Ferne deinen Magen knurren? Hab keine Angst, mein allerbester ausländischer Freund, in diesem Abschnitt wenden wir uns – mit aller Begeisterung, die ich aufbringen kann – der Küche dieser wunderbaren, anspruchsvollen Nation zu …

Es fällt nicht leicht, über die deutsche Küche zu reden, ohne die Wurst zu erwähnen. An diesem Punkt habt ihr sicher das Gefühl, ich schlüge mit der Klischeekeule auf euch ein. Also lasse ich es. Wurst ist wichtig, aber eher als Symbol als wegen ihres Geschmacks. Wurst ist furchtbar langweilig. Dass sie in diesem Land so hoch geschätzt wird, beweist einen erschreckenden Mangel an Fantasie. Der allerdings wird euch, wenn ihr erst einmal mehr von der deutschen Küche probiert habt, nicht groß wundern.

Fleisch ist hierzulande der Dreh- und Angelpunkt so gut wie jeder Mahlzeit. In Deutschland Vegetarier zu sein, ist wahrscheinlich ungefähr so unterhaltsam, wie als Blinder in den Zoo zu gehen. Es gibt nur eine gastronomisch bemerkenswerte Jahreszeit, nämlich die Spargelsaison, wenn das ganze Land durchdreht und überall mit dem allmächtigen Spargel herumgewedelt wird, als wär's ein kulinarischer Zauberstab, wonach er tatsächlich auch ziemlich aussieht.

Um es zusammenzufassen, die deutsche Küche bedeutet für die Welt des Essens in etwa das Gleiche wie die Band Eiffel 65 für die Geschichte der Popmusik – sie existiert, aber vor allem als Fußnote.

12. DIE KARTOFFEL VERSTEHEN

Wer behauptet, den Deutschen fehle es an Fantasie, liegt falsch. Sie konzentrieren ihre Kreativität lediglich auf ganz bestimmte Gebiete wie Outdoor-Kleidung, Bürokratie, komplette Sätze knebelnde Wortzusammensetzungen, gemixte Getränke und – vielleicht das beeindruckendste Beispiel – die *Zubereitungsarten der Kartoffel*. In den meisten Ländern bekommt man Kartoffeln in den folgenden elementaren Formen serviert: gebacken, gekocht, als Püree, als Pommes Frites und als ihre modische Spielart, die Wedges. Ach, ihr Amateure. Man kann mit der Kartoffel so viel mehr anstellen, wie die Deutschen beweisen, die aus der Kartoffel alles Mögliche gemacht haben, und noch ein, zwei Dinge mehr.

Um als Deutscher durchzugehen, müsst ihr mindestens zwölf verschiedene Kartoffelgerichte auswendig kennen und regelmäßig zubereiten. Die schlichte kleine Knolle nimmt hier so viele Gestalten an, dass man sie für eine Art Chamäleon des Tellers

halten könnte, das sich mühelos in jede Lücke fügt, die sich in einem Gericht auftun mag.

Es folgt eine keinesfalls vollständige Liste deutscher Kartoffelvarianten: Salzkartoffeln, Bratkartoffeln, Kartoffelbrei, Kartoffelpuffer, Kartoffelklöße, Kartoffelauflauf, Kartoffelsalat, Kartoffelsuppe, Rösti, Ofenkartoffeln, Kroketten, Stampfkartoffeln, Kartoffelecken, Pellkartoffeln, Pommes, Petersilienkartoffeln, Rosmarinkartoffeln ...

Die Liste ließe sich fortsetzen, aber jetzt habe ich Hunger, und im Kühlschrank liegen Schupfnudeln. Die sollten auch in eurem liegen. Los geht's ...

13. DIE ANTWORT LAUTET: KARTOFFELSALAT MITBRINGEN

Bestimmt habt ihr schon mal von dem berühmten russischen Physiologen Iwan Pawlow und seiner Konditionierung von Hunden gehört, die er darauf trainierte loszusabbern, sobald er nur mit einer kleinen Glocke klingelte. Nachdem ihn die Hunde zu langweilen begannen, weil sie sich seinem Willen allzu leicht beugten, suchte er nach härteren Herausforderungen, und er fand eine, die bisher wenig beachtet wurde. Er rangierte die Glocke aus, verlegte sich auf Menschen und ersann ein raffiniertes Experiment, mit dem er die gesamte deutsche Nation konditionierte. Sein Ziel: Sobald irgendjemand zu einem beliebigen Deutschen sagt: «Du bist zur Party eingeladen» oder «Lass uns heute Abend grillen», sollte dieser unwillkürlich denken: «Ich mache einen Kartoffelsalat!» Und wenn man einmal bei solchen Anlässen die sieben aufgestapelten Tupperschüsseln mit Kartoffelsalat und kaum was anderes zum Essen gesehen hat, dann weiß man schon: Pawlows Experiment war ein voller Erfolg.

KARTOFFELSALAT

98 % KARTOFFELN
2 % SALAT
= 100 % DEUTSCH

14. DEUTSCHES BROT ESSEN

Wer bezweifelt, dass Brot für die Deutschen eine sehr ernste Sache ist, ist entweder ein Narr oder er ist ich oder beides (wie ich). Denn als ich zum ersten Mal einige dieser Tipps ins Netz stellte, war ich unachtsam genug, nirgendwo deutsches Brot zu erwähnen. Gut möglich, dass die Deutschen auch Hefe in Emails mischen können, denn all die wütenden Mails stiegen in meinem Posteingang immer wieder nach oben.

Die Deutschen nehmen ihr Brot sehr ernst. Und das sieht man dem Brot auch an, es ist ernsthaftes Zeug. Im Gegensatz zu diesem weichlichen, weißen englischen Quatsch, den die Deutschen als unverzeihliche Hefeverschwendung betrachten. Als Fingermalerei eines Kindes, die sich für hehre Kunst ausgibt. Es stimmt schon, englisches Brot ist eher von der weichen, flauschigen Sorte. Manchmal weiß ich gar nicht, ob ich mir ein Sandwich daraus machen oder ob ich mich hineinkuscheln und ein Schläfchen halten soll. Es ist eine Art Hüpfburg für den Gaumen. Ich verstehe, dass so was euch Deutschen nicht gefällt. Frivol und leichtfertig. Sehe ich jedoch deutsches Brot, verspüre ich sofort den Drang, mir auf die Brust zu schlagen und «Jawohl» zu rufen: Es macht schon optisch richtig was her. Entscheidend sind das Gewicht (im Idealfall schwerer als ein durchschnittliches Neugeborenes), die Farbe (satt und dunkel wie, äähm, tja… Moorschlamm) und die Konsistenz (leicht

feuchter Beton). Lässt man es fallen, darf man damit rechnen, dass es in tausend Stücke zerbirst. Die gute Seite: Es ist sehr nahrhaft und sättigend. Die schlechte Seite: Es schmeckt wie deutsches Brot.

15. «MAHLZEIT!»

Deutsch steht im Ruf, eine direkte und stocknüchterne Sprache zu sein – sei es wegen solcher Wörter wie der absolut unromantischen *Brustwarze* oder der doch etwas zu wörtlichen *Antibabypille*, oder sei es wegen mancher Ausdrücke, die so klingen, als beschriebe man nicht seine eigene Stimmung, sondern die Mechanik eines unsichtbaren Autos: «Es geht», «Es läuft», «Es passt schon», «Alles in Ordnung».

Damit lässt sich schon mal arbeiten, lieber foreigner, aber um wirklich deutsch zu werden, musst du die buchstäblichste und verwirrendste aller Grußformeln verwenden: «Mahlzeit!» «Mahlzeit» kann so etwas wie eine Portion Essen bedeuten oder auch einfach nur die Zeit zum Essen. Als ich frisch in Deutschland angekommen war und in der Kantine beim Mittagessen saß, kamen regelmäßig Kollegen herein und riefen mir fröhlich «Mahlzeit» zu. Mahlzeit? Mahlzeit? *Zeit zum Essen?* Natürlich! Ihr seht doch, dass ich esse. Buchstäblich jetzt gerade esse ich meinen Kartoffelsalat. Ich kaue, während ihr mich begrüßt! Ich weiß, es ist noch ein bisschen früh, aber ich habe das Frühstück verpasst. Nehmt es mir nicht übel!

Doch dann merkte ich, dass es gar keine Frage ist. Sondern eine überflüssige Bemerkung, die sich unbeholfen verkleidet, wie ein Kind in den Klamotten seiner Eltern, und als Gruß herumstolziert. Wenn man sich assimilieren möchte, fängt man einfach an, diesen Ausdruck zu verwenden. Klingt zuerst sehr seltsam, ist aber tatsächlich ganz lustig. Und dann lernt man,

dass man ihn in manchen Teilen von Deutschland zu jeder beliebigen Zeit anbringen kann! Man kann Leute nachts um vier anrufen, wenn man ganz genau weiß, dass sie schlafen, und ihnen «Mahlzeit» wünschen. Genial. Aber irgendwann hat sich der Reiz des Neuen abgenutzt und man will mehr. Man fragt sich, wieso man nicht auch an andere Tätigkeiten als das Einnehmen eines Mahles -*zeit* dranhängen kann, um dann damit zu grüßen. Doch die deutsche Buchstäblichkeit fängt an und hört auf, wo sie will. Wenn es kalt wird, trägt man Handschuhe, aber keine Kopfschuhe. Sieht man jemanden trinken, kann man ihm sicher kein «Trinkzeit!» zurufen. Die Nachbarn sind mal wieder ziemlich laut beim Sex? Trotzdem ist es nicht akzeptabel, bei ihnen zu klingeln und ihnen herzlich «Fickzeit!» zu wünschen. Nur «Mahlzeit» geht, kapiert?

16. GEZ & GEMA HASSEN

Genug gegessen? *Satt*, wie man in Deutschland sagt? Bestens, mein lieber, gerade zum ersten Mal aus der Deutschen Bahn gestiegener Freund. Dann wollen wir das Essen hinter uns lassen und uns einige Einstellungen und besondere Begabungen ansehen, die du unbedingt entwickeln musst, wenn du ein echter Deutscher werden willst.

Superman hat Lex Luthor, Luke Skywalker hat Darth Vader, Batman hat den Joker, und die Geschichte ist übersät mit legendären Rivalitäten zwischen Gut und Böse. Da sind die Deutschen keine Ausnahme. Seit Ewigkeiten schon kämpfen sie gegen ihre beiden speziellen Erzfeinde – GEZ und GEMA, die man gemeinsam auch als *Spaßpolizei* bezeichnet. Okay, das habe ich mir ausgedacht, aber sie sollten so genannt werden. Die GEZ ist zuständig für Rundfunk und Fernsehen, die GEMA für das musikalische Urheberrecht. Ihre Aufgabe ist es, Gebüh-

ren einzutreiben und sie gerecht auf die öffentlichen Sender bzw. die Musiker zu verteilen. Ich bin sicher, sie wurden mit noblen, ehrenwerten Absichten ins Leben gerufen, doch wie alle Bösewichter wechselten sie irgendwann die Seite. Ihre Macht stieg ihnen zu Kopfe, und sie wandten sich der Finsternis zu, wurden monopolistische Riesenkraken und begannen, den Deutschen auf den kollektiven Senkel zu gehen.

Ihr braucht mit euren deutschen Freunden nicht über ihre Ansichten zu GEZ und GEMA zu diskutieren. Ich erspare euch die Zeit und Mühe: Sie *hassen* sie. Das öffentliche Bild der beiden ist das von etwas albernen Schurken im schwarzen Umhang, die sich durch die Oberlichter des Berghain abseilen, um mal wieder eine Techno-Party aufzumischen: «Na, haben wir alle Spaß? Sieht ganz so aus! Und wer zahlt für diesen Spaß? Genau! Diebe!» An dieser Stelle ertönt ein ausgedehntes, bösartiges Gelächter, die Anlage wird ausgestöpselt, und das Licht geht an. Die Feiernden recken die Fäuste bedrohlich in die Luft. «Verflucht seist du, GEMA!!»

Der Kampf gegen die GEZ (sie nennt sich jetzt «Beitragsservice») ist vorbei. Falls ihr es noch nicht mitbekommen habt: Deutschland hat verloren. Ab 2013 zahlt jeder Haushalt eine einheitliche Gebühr, über die sich nicht verhandeln lässt. Das einzig Positive daran ist, dass damit das Katz-und-Maus-Spiel aufhört, bei dem die GEZtapo an unserer Tür hämmerte, um zu beweisen, dass wir ein Radio oder einen Fernseher besitzen. Das Verhältnis meiner Freundin zur GEZ ist von abgrundtiefer Paranoia geprägt, die ihre Wurzeln in ihrer Studienzeit hat. Als wir uns kennengelernt hatten und ich schon ab und zu bei ihr übernachtete, führte sie mit mir ein ernstes Gespräch über meine verbrieften Rechte in dem Fall, dass ich ihre Wohnungstür öffnete und ein GEZ-Eintreiber davorstünde. Und da ich es ja vielleicht vergessen hatte, rief sie jedes Mal, wenn es klingelte: «Pass auf, das könnte die GEZ sein!» Nachdem ich hier in Deutschland ein Unternehmen gegründet hatte, schickten sie

mir ständig Briefe. Schließlich knickte ich ein und begann, meine Gebühren zu überweisen. Ich habe mich allerdings nicht getraut, es meiner Freundin zu erzählen, denn ihr Hass auf die GEZ sitzt so tief, dass es ihr wahrscheinlich lieber wäre, ich würde jeden Monat € 17,98 aus meinem Portemonnaie nehmen und verbrennen.

17. DIE BIERFLASCHE MIT ALLEM ÖFFNEN, WAS KEIN FLASCHENÖFFNER IST

Flaschenöffner existieren in verschiedenen Formen seit circa 1738. Es gibt nur einen logischen Grund, wieso Deutsche eine Flasche mit so ungefähr allem außer einem Flaschenöffner aufmachen können: nämlich dass Flaschenöffner hier erst seit 2011 bekannt sind. Seither werden sie mit Misstrauen betrachtet, und jeder, der einen verwendet, wird der Hexerei bezichtigt und auf dem Scheiterhaufen verbrannt. Ich erinnere mich noch an eine Webseite, auf der ein ganzes Jahr lang jeden Tag eine andere Art vorgestellt wurde, eine Bierflasche zu öffnen. Manche behaupten, dass den Autoren am Ende die Ideen ausgingen, als sie einen Schildkrötenpanzer als Öffner vorschlugen. Die Deutschen brauchten den Blog allerdings nicht zu lesen, da sie alle diese Methoden sowieso schon kannten. Schildkrötenpanzer? Ich bitte dich, das ist doch einfach. Ein bisschen mehr Fantasie! Und

kommt mir nicht mit Flaschenöffnern. Ich habe hier schon gesehen, wie Leute Flaschen mit den Zähnen aufmachten, einer sogar mit der Augenhöhle.

Also, foreigner: Du musst mindestens zehn Methoden lernen. Feuerzeug und Löffel müssen dabei sein. Schildkrötenpanzer ist nicht zwingend, aber zulässig.

18. SAG, WAS DU DENKST

Im Englischen geht es nicht darum, was man sagt, sondern wie man es sagt. Im Deutschen geht es um beides, aber eher um Ersteres. Deutsche drücken sich also in der Regel direkt und so eindeutig wie möglich aus. Gnadenlos effizient, wenn man so will. Möchte man auf Englisch jemanden bitten, etwas für einen zu tun, dann geht man nicht einfach zu dem Betreffenden hin und fragt ihn. Oh nein. Das wäre ein schwerer gesellschaftlicher Fehltritt. Stattdessen muss man sich zunächst nach seinem Befinden erkundigen, nach dem Befinden seiner Familie, nach seinen Kindern, dem Wetter, den Aktivitäten des zurückliegenden Wochenendes, den Plänen fürs kommende Wochenende, der Trübsal oder Begeisterung über das Ergebnis des zuletzt im Fernsehen übertragenen Fußballspiels – und erst dann kann man endlich sagen: «Übrigens», womit man den eigentlichen Zweck des Gesprächs einleitet, um dann noch einmal zu bekräftigen, dass man wegen der Bitte ein schlechtes Gewissen hat, dass der Gefallen nur erwiesen werden soll, wenn es absolut keine Mühe macht – aber könnte das Gegenüber womöglich diese winzige Kleinigkeit für einen erledigen? Man wäre ihm auf ewig dankbar.

Deutsche reden nicht in so ausufernden und durchsichtigen Zurschaustellungen vorgetäuschter Freundschaft um den heißen Brei herum. Sie sagen einfach: «Ich brauche das und das,

erledige das bitte, und zwar bis dann und dann. Alles klar?» Danach gehen sie wieder. Sobald ihr diese Direktheit einige Male geübt habt, werdet ihr sie wahrscheinlich einfach nur angenehm finden.

Die Deutschen sagen, was sie denken, weil sie richtig erkannt haben, dass Zuckerguss nur auf Kuchen etwas zu suchen hat. Wenn mich gerade einmal wieder Hochmut und Selbstüberschätzung befallen, kann ich mich immer darauf verlassen, dass meine deutsche Freundin mich mit Worten wie «Krieg dich wieder ein, wir werden alle nackt geboren und scheißen ins Klo» auf den Boden der Tatsachen zurückholt.

19. FREIMÜTIG ÜBER SEX REDEN

Es ist ein großes Vergnügen, in einer Gesellschaft zu leben, die so offenherzig und ohne viel Getue über Sex spricht. Als wäre Sex, ach, ich weiß auch nicht, ein ganz normaler Teil des Lebens. Ein so gewöhnlicher Akt, dass nach überzeugender Indizienlage sogar unsere lahmen alten Eltern ihn vollzogen haben. Das begreifen die Deutschen. Vielleicht ist ihr Umgang mit Sex bisweilen ein wenig medizinisch, aber jedenfalls wird keine große Sache daraus gemacht. Es ist eher so wie mit dem Hund Gassi zu gehen oder den Müll rauszubringen.

Nacktheit wird mit ebenso beiläufiger Vertrautheit behandelt. Vor allem an den Seen im Osten des Landes, wo es eine lange FKK-Tradition gibt. Als ich einen meiner Kollegen befragte, warum eine solch demonstrative Nacktheit vonnöten sei, wann immer ein Ostdeutscher eine Wasserfläche entdeckt, die größer als eine Pfütze ist, lautete die Antwort: «Wenn du nie mit fünf deiner besten Freunde nackt gebadet hast, hast du nicht gelebt!»

Also, mein prüder Ausländer, entspann dich, verstau deine

Hemmungen irgendwo und mach dir diese geradlinige Haltung gegenüber Nacktheit und Sex zu eigen. Ich bin sicher, du wirst es als große Befreiung empfinden.

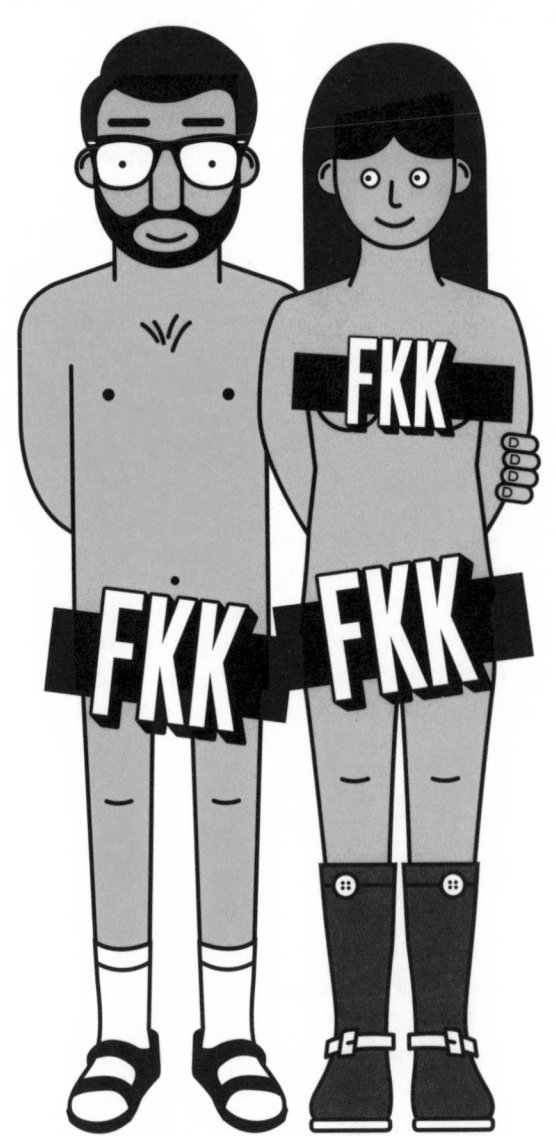

20. SONNTAGS NIE

Stell dir vor: Ein verlassenes Krankenhaus. Jemand wacht in einem Krankenbett auf. Die Zimmertür ist von innen verschlossen. Der Patient weiß nicht, wie er hier gelandet ist; er ist benommen, alles ist still. Unheimlich still. Er steht auf, verlässt unsicher das Zimmer, tappt hinaus auf den Flur. Keine Menschenseele weit und breit. Es fühlt sich an wie das Ende der Welt. Er wagt sich ins Freie, um nach Spuren von menschlichen Wesen zu suchen, doch er findet nichts. Er macht sich Gedanken, ob er der einzige Überlebende seiner Art ist. Vielleicht ein Killervirus? Es ist sehr still, *zu still*. Klingt vertraut? Ja, so fangen die meisten Zombiefilme an. Und so sieht auch ein gewöhnlicher Sonntag in Deutschland aus. Jedenfalls in katholischen und ländlichen Gegenden. An diesem Tag wird Autowaschen als Rebellion gegen die heilige Sonntagsruhe gewertet.

Also streich alles aus deinem Kalender. An diesem Tag kriegst du nichts erledigt. Entspann dich. Oder geh wandern! Das sind anscheinend die beiden elementaren, einander komplett widersprechenden Optionen. Es gibt aber natürlich eine Ausnahme. Eine Sonntagsaktivität, die geradezu vorgeschrieben ist, auch für dich:

21. *TATORT* GUCKEN

In meiner ersten WG hatten wir einen Fernseher, der auf einem Skateboard befestigt war und in einem Schrank wohnte. Nur einmal in der Woche wurde er für den *Tatort* herausgerollt. Freunde meiner Mitbewohner kamen vorbei, der Fernseher

wurde in der Küche aufgebaut, aufwändige Mahlzeiten wurden gekocht und miteinander verzehrt, dann senkte sich Schweigen über die Versammlung. Das *Tatort*-Ritual begann.

Wenn man sich traut, einen Deutschen zu fragen, ob der *Tatort* eigentlich gut sei, sind die Reaktionen meistens sehr lustig. Man sollte meinen, da sie sich diesen Sonntagskrimi mit so unerschütterlicher Beharrlichkeit anschauen, entweder privat oder beim Public Viewing in Kneipen, müssten sie ihn doch eigentlich toll finden. Doch sie beantworten die Frage selten mit ja. Sie setzen ein schockiertes Gesicht auf, als hätten sie diese Frage noch nie gehört und auch noch nie wirklich darüber nachgedacht. Es ist, als hätte man sie gefragt: «Glaubst du an die Schwerkraft?» Dann kommen sie gewöhnlich zu dem Schluss, dass es vollkommen irrelevant ist, ob der *Tatort* gut oder schlecht ist. Jede Kultur hat ihre ererbten Traditionen. Bei den Deutschen ist es der *Tatort*. Und das gilt nun auch für dich. Nimm das Erbe an ohne nachzufragen und mit großer Begeisterung. Du hast keine andere Wahl.

22. ES IST ERST WAHR, WENN DU ES AUF *SPIEGEL ONLINE* GELESEN HAST

Wenn du hier lebst, wirst du bemerken, dass die Deutschen nicht zur Verbreitung von Gerüchten neigen. Sie bevorzugen Meldungen, die aus doppelt begutachteten, abgesicherten Fachzeitschriften stammen. Klatsch ist etwas für die niederen Geister. Anekdoten sollten mit Worten wie «Die Wissenschaft sagt» oder «Es ist ja bewiesen, dass» eingeleitet werden. Doch es gibt eine Ausnahme, und die heißt *Spiegel Online*. Wenn ich bei meinem ersten Job in Deutschland morgens ins Büro kam, war auf fast jedem Bildschirm die gleiche rot-schwarze Webseite zu sehen. In der ersten Woche dachte ich, es handele sich um das Intranet des Unternehmens. Dann erfuhr ich, die Seite sei in Wirklichkeit *Spiegel Online* – der Ort, wo Dinge wahr werden.

Nicht wegen der überlegenen Qualität des Journalismus, sondern einfach nur wegen der ungeheuren Reichweite der Webseite innerhalb von Deutschland. Man hat den Eindruck, dass jeder *Spiegel Online* liest.

Beim Mittagessen diskutierten meine Kollegen in der Küche regelmäßig über das dort Gelesene, weil sie ja sicher sein

konnten, dass alle das Gleiche gelesen hatten. Doch seltsamerweise befiel sie später, wenn dasselbe Thema wieder aufkam, eine Art *Spiegel*-Amnesie, und sie vergaßen, wo sie diese oder jene Information ursprünglich her hatten. Wahrscheinlich möchte niemand gern zugeben, dass alle immer nur das Gleiche lesen. Stattdessen sagten sie Sachen wie «Irgendwo habe ich gelesen …» oder «Ich weiß nicht mehr, wo ich das gehört habe, aber …»

Wenn dir diese Sätze das nächste Mal unterkommen, kannst du die anderen vorsichtig daran erinnern: Ihr habt es auf *Spiegel Online* gelesen. *Es ist erst wahr, wenn es auf Spiegel Online steht.*

23. IMMER MIT FREUNDLICHEN GRÜSSEN SCHLIESSEN

Im Internet ist es eine allgemein akzeptierte Regel, dass man so ziemlich sagen kann, was man will, solange man ein :-) dahinter setzt. Ein zusätzliches *LOL* kann nicht schaden. Damit beraubt man den Empfänger (das Opfer des Scherzes) der Option, sich beleidigt fühlen zu dürfen. Schließlich stand da ein Smiley, das war bloß ein Witz! Wenn du beleidigt bist, selber schuld, du solltest mehr Humor haben. Im Deutschen gibt es eine ähnliche Regel, jedoch wird der Smiley ersetzt durch *LG* («Liebe Grüße»), *MfG* («Mit freundlichen Grüßen»), *VG* («Viele Grüße») oder das neue, höchst innovative *MvlfG* («Mit vielen lieben, freundlichen Grüßen»), das ich mir womöglich gerade erst ausgedacht habe. Du kannst so gemein und aggressiv sein, wie du willst, solange deine Botschaft am Ende das Schleifchen *LG* oder *MfG* trägt. Ein Beispiel:

«Hallo Adam,

deine Ratschläge, wie man Deutscher wird, haben mir wirklich gefallen, und dabei bin ich Deutscher! Aber du hast dich

geirrt. Die Punkte 1, 52, 74, 1213 und 835 534 sind falsch. Außerdem hast du die Deutsche Bahn nicht erwähnt. Wie konntest du nur außer Acht lassen, wie sehr wir Deutschen die Deutsche Bahn hassen?!?! Unverzeihlich. Ich hasse dich. Ich denke mir jetzt gerade sadistische, langsame Todesarten für dich aus. Ich überlege, was ich mit deiner Leiche anstellen könnte. Sie wäre ein Spielzeug für mich, zu meinem Vergnügen. Sehr wahrscheinlich würde ich sie einlegen. Aus deiner Haut könnte ich mir ein schönes Kissen machen.

MvlfG

Stefan»

Ich will gar nicht erst damit anfangen, wie unlogisch es ist, den Gruß ans Ende einer Nachricht zu setzen, wo er doch eigentlich an den Anfang gehört. Denk einfach daran, überall *MvlfG* drunter zu schreiben, und weiter geht's.

24. PROST!!!

24 Schritte! Schon fast die Hälfte des Weges zur Einbürgerung zurückgelegt! Wow. Wie die Zeit vergeht. Ich erkenne dich kaum wieder. Lass uns deine Fortschritte mit einem Drink feiern! Aber vorher ist da noch ein gefährliches Minenfeld, ein komplizierter deutscher Brauch, den du lernen musst: Prost sagen.

Ich nehme an, das Zuprosten hat früher einmal Spaß gemacht. Du bist in einer Gruppe unterwegs, hast glücklicherweise genug Geld, dir ein Getränk leisten zu können, genug Zeit, es in Ruhe zu trinken, genug Freunde, die deine Gesellschaft teilen wollen. Das Zuprosten ist eine Art fröhlicher Kameraderie. Ein kurzes, schönes, klirrendes «Scheiß drauf» an die Welt und ihre kleinen Problemchen. Als ich gerade hier angekommen war, prostete ich so beiläufig wie früher in England. Vielleicht berührten sich unsere Gläser, vielleicht auch nicht, vielleicht hoben wir sie bloß ein klein wenig höher als nötig, um sie an die Lippen zu führen, neigten sie in Richtung unserer Freunde und tranken. Oder vielleicht auch nicht. Vielleicht tranken wir einfach. Aber das ist hierzulande inakzeptabel. Alle Getränkeinhaber müssen in einer Art unbeholfenem Gläsertanz miteinander wetteifern, bei dem jedes Augenpaar sehr, sehr auffälligen Blickkontakt mit jedem anderen aufnehmen und jedes Glas jedes andere berühren MUSS. Danach halten am Rand stehende Preisrichter wie beim Eiskunstlaufen Notenkarten hoch und zeigen den Teilnehmern, wie gut sie nach verschiedenen Kriterien abgeschnitten haben – haben sie zum Beispiel mit jedem Glas in logischer Abfolge angestoßen, und wie stand es um Länge und Intensität des Blickkontaktes?

25. BIONADE TRINKEN, BIO KAUFEN

Bei der Ankunft in diesem ach so fremden Land wirst du so manchen Deutschen sehen, der den Kopf in den Nacken legt und sich eine seltsam gefärbte Flüssigkeit in den Rachen schüttet; auf den Flaschen prangt der Name *Bionade*. Anpassungsfreudig, wie du bist, probierst du es selbst. Wenn so viele Deutsche es trinken, muss es doch gut sein, oder? Na ja, eigentlich nicht. Es ist okay. Es ist ziemlich geschmacksneutral und lang-

weilig. Du fragst dich, wieso darum so viel Bohei gemacht wird? Ich werde es dir sagen …

Die *Bionade*-Erfinder waren Marketing-Genies und haben die Buchstaben BIO zum Bestandteil ihres Markennamens gemacht. Die Deutschen stehen unter reflexartigem Kaufzwang, sobald sie ein Produkt mit dem Etikett *Bio* oder dem Namensbestandteil *Bio* sehen. Man könnte ihnen einen knusprigen Schokoriegel aus Kinderzähnen verkaufen, wenn man ihn *duBIOs* nennen würde. Und ich kann dir auch sagen, warum.

Die Supermärkte hier sind ziemlich verwirrend. Man findet nie, was man sucht. Fast alle Lebensmittel enthalten anscheinend Quark. Man steht vor einer ganzen Wand unbekannter Marken und versucht herauszufinden, was die Qualitätsware ist. An diesem Punkt geht die Sache gründlich in die Hose: Hier ist scheinbar alles von höchster Qualität. Oder behauptet es jedenfalls auf der Verpackung. Selbst die minderwertigste, billigste Frikadelle, die sich in sechzig Sekunden in der Mikrowelle zubereiten lässt, bezeichnet sich als *Premium*. Oder gar *Super Premium. Luxus. Deluxe. Super Deluxe. Super Luxus Deluxe.* Tatsächlich hat man oft das Gefühl, dass die wirkliche und die behauptete Qualität in umgekehrt proportionalem Verhältnis zueinander stehen.

Man brauchte also eine neue Kategorie, die für höchste Verbraucherzufriedenheit stand, für absolute Spitze, Kennzeichen unzweifelhafter Topqualität – *Bio.* Daher der unwiderstehliche Kaufreflex. Das wird weiterhin gut funktionieren, bis jemand irgendwo *Super Bio* draufschreibt – und der Kreislauf von vorne losgeht.

26. RECYCLEN

Die Deutschen sind leidenschaftliche Recycler, und also musst auch du einer werden. Das liegt wohl daran, dass sich drei ihrer liebsten Dinge darin zu einer positiven Tätigkeit vereinen: Umweltschutz, Organisation und Zwanghaftigkeit. Versuche mal, etwas Papierenes in den Plastikmülleimer eines deutschen Freundes zu werfen. Sofort schrillen die Alarmglocken; man hält dir Vorträge über richtiges Recycling; womöglich wird eure Freundschaft schwer belastet.

An meinem ersten Arbeitsplatz in Deutschland gab es drei verschiedene Mülleimer für unterschiedliche Sorten Müll. Wer seinen Abfall nicht richtig trennte, wurde lautstark getadelt und danach für immer misstrauisch beäugt, als wäre er kein Mensch, sondern eine Dynamitstange, die jederzeit in die Luft gehen

könnte. Eines Tages verriet uns die Putzfrau, dass man im Keller des Gebäudes den Abfall aus allen drei Behältern einfach in einen einzigen großen Container zusammenschüttete. My God! All unsere Recyclingbemühungen waren vergeblich! Man sollte meinen, dass wir, mit diesem Wissen ausgestattet und befreit vom lästigen Sortierzwang, fortan auch oben alles in einen Eimer warfen, nicht wahr? Aber nein. Wir trennten den Müll weiter wie zuvor und benutzten dazu alle drei Eimer. Weil man es eben so macht. Wir sind hier in Deutschland.

27. HALTE DICH AN DIE REGELN

Wenn du hier schon mal im Kino warst, dann weißt du, dass es zwei Platz- und Preiskategorien gibt – mit Genickstarre und ohne. Mit Genickstarre sind die ersten Reihen ganz vorne; wenn man hinten sitzen will, muss man mehr bezahlen. In anderen Ländern habe ich noch nie abgestufte Preise für Kinotickets gesehen. Es ist ein ziemlich unschönes System, wenn man mal überlegt, dass man sich, anstatt den Film einfach zuhause im Bett auf dem Laptop anzuschauen, die Mühe gemacht hat, Jacke und Schuhe anzuziehen, aus dem Haus zu gehen, den ganzen Weg bis zum Kino zurückzulegen und neun Euro zu bezahlen, um dafür in einem eiskalten, dunklen Saal zu sitzen und einen Film zu sehen, der nicht mal so wie früher richtig aufhört, mit einem schönen, endgültigen Happyend, weil heute ja alles mindestens eine Trilogie sein muss, und dann kommt noch die Prequel-Trilogie und so weiter, und ehe man sich's versieht, guckt man sich *Spiderman 417* an. Also ehrlich, die Kinos sollten uns was dafür zahlen, dass wir sie überhaupt noch besuchen, anstatt uns einen Aufschlag zu berechnen, weil wir hinten sitzen wollen, aber ich glaube, ich habe meinen ursprünglichen Faden ein wenig verloren …

Ich gehe deshalb so gern in Deutschland ins Kino, weil ich sonst nur selten das Vergnügen habe, meine deutsche Freundin bei einem Regelverstoß zu beobachten. Für einen flüchtigen Augenblick sind wir nicht so lahm und vorhersehbar wie sonst, sondern verwandeln uns in (zwanghafte, anständig gekleidete, Steuern zahlende) Bonnie und Clyde. Wieso? Weil wir nie für die teuren Sitze bezahlen. Aber uns immer darauf setzen. Jetzt dürft ihr euch zutiefst schockiert zeigen …

Zu Anfang war es nicht so leicht, sie nach hinten zu locken. Sie weigerte sich sogar ganz unverblümt. Es gibt schließlich ein System. Deutsche haben Respekt vor Regeln und Systemen, darum geht es in diesem Schritt, und das musst du lernen. In diesem Fall ist es ein höchst kapitalistisches System, aber nichtsdestoweniger ein System mit Regeln. Welche die Mehrzahl der Deutschen befolgt. Zweifellos würde der durchschnittliche Deutsche, wenn er einen komplett leeren Kinosaal betritt, in dem nur ein einziger anderer Besucher sitzt, aber auf seinem eigenen Platz, fünfmal die Nummer auf seiner Karte kontrollieren und den Betreffenden dann bitten, den Sitz zu räumen.

Aber ich fasste einen Plan. Wenn ich Karten online kaufte oder wenn ich an der Kinokasse gefragt wurde, wo ich sitzen wolle, suchte ich mir nun immer den Sitz ganz außen links in der ersten Reihe aus. Das ärgert meine Freundin so, dass sie sogar bereit ist, Regeln zu brechen und mit mir nach hinten zu kommen, wo ein illegaler Premium-Sitz auf uns wartet. Ich muss dafür zwar einige Schläge einstecken, aber das scheint mir ein vollkommen akzeptabler Preis für solch ruchloses Treiben zu sein. Meine Freundin begleitet mich nun in die hinteren Reihen mit aufgeregtem Schaudern. Als würden wir nicht lediglich das Kino um zwei Euro betrügen, sondern die europäische Zentralbank bei einem ausgefeilten Überfall mithilfe von Safeknackern, gelenkigen Zwergen und explodierenden Kugelschreibern um mehrere Millionen erleichtern. Und wenn wir dann hinten sitzen, kann sie sich erst entspannen, wenn der Film halb vorbei und

sie absolut sicher ist, dass der rechtmäßige Inhaber der von uns besetzten Plätze nicht mehr auftauchen und diese für sich einfordern wird. Bis dahin dreht und windet sie sich jedes Mal, wenn die Saaltür aufgeht, auf ihrem erschlichenen Sitz, leidet echte körperliche Schmerzen und wiederholt ständig: «Ich hasse dich, ich hasse dich, ich hasse dich.» Ich weiß nicht genau, wie sie das meint. Ich habe auch keine Zeit, darüber nachzudenken, weil ich ja vollauf damit beschäftigt bin, nach vorn zu schauen und von unseren viel besseren, genickschmerzfreien Sitzen aus den Film zu genießen.

28. LIEBE DEIN AUTO

Es ist äußerst zeitraubend für deutsche Männer, wenn sie ständig ihren Penis aus der Hose ziehen müssen, um ihn mit dem Geschlechtsteil anderer Männer zu vergleichen. Außerdem lenkt es die anderen Anwesenden meistens ziemlich ab. Darum haben sie andere Kriterien entwickelt, um ihre Rangfolge untereinander festzulegen, wobei sie *Autos* klar bevorzugen. Als meine Freundin ihrem Vater erzählte, sie habe einen neuen, englischen Freund, da war seine erste Frage, noch bevor er sich nach meinem Namen, Alter, Beruf, Hobbys usw. erkundigte: «Was für ein Auto fährt er?» Die Deutschen nehmen ihre Autos sehr ernst. Sie bau-

en auch ziemlich gute. Womöglich hängt beides miteinander zusammen, aber weil mir zu dieser Verbindung partout keine Witze einfallen, werde ich sie geflissentlich ignorieren und euch nur daran erinnern: Wenn ihr wie ich über Autos nichts weiter wisst, als dass sie so ähnlich sind wie Fahrräder, nur mit zwei Rädern mehr, dann seid ihr hier falsch. Recherchiert. Macht ein Praktikum bei BMW oder Porsche. Schaut Formel 1. Studiert Motorenpläne. Kauft euch Winterreifen für euer Auto. Es ist mir egal, wenn ihr vielleicht keines habt, kauft euch trotzdem Winterreifen. Strengt euch ein bisschen an, Leute …

29. KLUGSCHEISSEN

Bei meiner Arbeit im Marketing hat man mir immer gesagt: *Eine gute Geschichte darf man sich nie von der Wahrheit kaputtmachen lassen.* In Deutschland ist es umgekehrt: *Die Wahrheit darf man sich nie von einer guten Geschichte kaputtmachen lassen.* Den Deutschen ist die Wahrheit heilig, und man betet sie am Altar der Fakten an.

Darum ist es auch so ungemein wichtig, andere zu korrigieren, wenn sie etwas Unrichtiges sagen, und sei es noch so bedeutungslos und nebensächlich. Sie liegen falsch; du weißt das; also ist es deine Pflicht, sie darüber in Kenntnis zu setzen. Die Deutschen nennen das *klugscheißen.* Und als neunmalkluge Faktenfreunde und Besserwisser sind sie natürlich Weltmeister im Klugscheiß.

Wenn jemand erzählte: «Also, wir waren gerade in China, Ende Oktober, eine Woche in Hongkong und dann in Shanghai», dann würde er sofort von seiner Partnerin unterbrochen und korrigiert: «Das war nicht im Oktober, wir sind am 1. November abgeflogen, um 10 Uhr 37. Von Tegel. Du hast in der

Abflughalle noch einen Bagel gekauft, erinnerst du dich? Mit Frischkäse.»

«Okay, 1. November. Gut. Mein Fehler.»

Dann würde jemand anderes, der beim Klugscheißen mitmachen möchte, hinzufügen: «Übrigens gehört Hongkong gar nicht richtig zu China. Es ist eine Sonderverwaltungszone mit gewissen gesetzgeberischen Freiheiten.»

«Also gut, wir waren in Shanghai und in Hongkong, das eine Sonderverwaltungszone der Volksrepublik China mit gewissen gesetzgeberischen Freiheiten ist, und zwar vom 1. November an zwei Wochen lang.»

«Dreizehn Tage. Wir waren nur dreizehn Tage da. Nicht zwei Wochen.»

«Hmmpfh. Ich geb's auf.»

Es gibt verschiedene Taktiken, mit wiederholtem Klugscheißen umzugehen: Man kann einfach aufhören, überhaupt noch irgendwas zu sagen, und als Grund für sein Schweigegelübde die Angst vor Inkorrektheit angeben. Man kann sich ein T-Shirt mit der Aufschrift «Aber das spielt doch keine Rolle, oder?» drucken lassen und jedes Mal darauf zeigen, wenn kluggeschissen wird. Oder man sieht ein, dass man nicht gewinnen kann und deshalb einfach mitmachen sollte, wobei man dann in den großen Genuss kommt, Leute wenig zartfühlend auf ihre kleinen faktischen Irrtümer hinzuweisen.

30. WITZE HINTERFRAGEN

Die Deutschen stehen in dem unseligen Ruf, humorlos zu sein. Das ist nicht wahr. Deutscher Humor ist wie deutsches Brot – dunkel, trocken, nicht nach jedermanns Geschmack, aber reichlich vorhanden. Der entscheidende Unterschied zwischen unseren beiden Nationen und ihrem Begriff von Humor ist der,

dass die Deutschen logische und sinnvolle Witze vorziehen. In England macht man gern albern-absurde Bemerkungen. Wenn es also heftig regnet, kann man sagen: «Schönes Wetter für Enten», und der Gesprächspartner wird einfach nicken oder vielleicht sogar lächeln. Jeder weiß, der Satz ergibt wenig Sinn, er ist einfach ein Lückenfüller, sprachlicher Schaumstoff. Eine schlichte Witzelei, um Gemeinsamkeit herzustellen und Zeit zu überbrücken. Es ist nicht wichtig, ob der Satz Sinn ergibt. Man muss nicht weiter darüber nachdenken. Doch jetzt und hier, little foreigner, jetzt muss man. Oh ja. Sogar gründlich. Du bist jetzt Deutscher. Du beurteilst einen Witz nicht mehr danach, wie witzig er ist. Das ist für Anfänger. Profis bewerten einen Scherz zuallererst nach seiner Plausibilität. Auf eine leichthin gemachte Bemerkung über Enten, die Regen mögen, sollte eine fünfzehnminütige Analyse folgen, wie unwahrscheinlich es ist, dass Enten überhaupt irgendeine Art Wetter mögen oder verachten. Lache nicht einfach über die Dummheiten, die der Ire anstellt, sondern frag nach, wie und wo sich der Engländer, der Schotte und der Ire kennengelernt haben. Und wieso sind sie mit nur einem Fallschirm in ein Flugzeug gestiegen? Ist das überhaupt gesetzlich erlaubt? Und wie haben sie es geschafft, eine Audienz beim Papst zu bekommen? Warum sollte ein Bär eigentlich in eine Bar kommen?

Wenn du wirklich deutsch sein willst, musst du noch die kleinste Blödelei einer gründlichen Befragung unterziehen, so als wäre sie die Hauptverdächtige im Prozess um einen brutalen Mord an Sinn und Verstand.

31. ZÜNDE NIE DEINE ZIGARETTE AN EINER KERZE AN

Als Schriftsteller verdiene ich Geld, wenn Leute Sachen kaufen, die ich vollgekritzelt habe. Wie zum Beispiel dieses Buch. Vielen Dank fürs Kaufen, wirklich sehr freundlich! Leider gibt es nicht mehr allzu viele Buchkäufer wie euch. Angefangen hat es damit, dass irgendein fröhlicher Idiot den Film erfand und alles plötzlich vor unseren Augen herumhampeln musste, um unserer Aufmerksamkeit wert zu sein. Dann kam das Internet dazu und erzählte jedermann, dass alles umsonst sein müsse. Schließlich tauchte der globale Zeitschlucker Facebook auf und fraß der Bevölkerung den letzten Rest Freizeit weg, so dass nun alle viel zu beschäftigt und abgelenkt sind, um sich irgendwo hinzusetzen und in Ruhe ein Stück toten Baum durchzulesen. Heutzutage heißt Schriftsteller zu sein meistens, sich kunstvoll in finanzieller Vergeblichkeit zu üben.

Juckt das irgendjemanden? Nein. Juckt es die Deutschen? Nein. Sollte es sie jucken? Nein.

Doch lustigerweise gibt es *eine* bedrohte Minderheit, welche die Deutschen versuchen zu schützen: die armen, bescheidenen Seeleute. Wenn du das nächste Mal in deiner Kiezraucherkneipe sitzt, dann versuche mal, dir die Zigarette an einer Kerze anzuzünden. Mit einiger Wahrscheinlichkeit wird jemand ein tadelndes *Oooooh* oder *Tss, tss* ausstoßen oder zumindest missbilligend den Kopf schütteln. Weil du gerade wieder einen Seemann in den Ruin getrieben hast. Netter Zug, du Arschloch.

Die Geschichte hinter diesem amüsanten Aberglauben ist folgende: In der guten alten Zeit waren Seeleute meistens auf See unterwegs, sie raubten oder trieben Handel oder machten sich sonst wie unbeliebt – außer in den mageren Wintermonaten, wenn das Anheuern schwieriger wurde. Um sich auch dann etwas Geld zu verdienen, verlegten sie sich auf den Verkauf von Streichhölzern. Darum heißt es nach gängiger deutscher Logik, dass man, indem man seine Zigarette an einer Kerze anzündet, die Streichhölzer der Seemänner missachtet und diesen die Lebensgrundlage entzieht. Man stürzt sie in die größte Not. Manche sagen sogar, dass im selben Moment, in dem sich jemand seine Kippe an der Kerze ansteckt, ein Seemann stirbt. Aber das lässt sich faktisch nicht erhärten, und ich vermute, hinter diesem Gerücht stecken die Seeleute selbst.

Die Deutschen glauben immer noch, dass man den Seeleuten die Herausforderungen des Marktes ersparen sollte. Solange das so ist, wird es niemals in Ordnung gehen, wenn man sich seine Zigarette an einer Kerze anzündet.

PS: Wusstet ihr, dass jedes Mal, wenn man sich einen You-Tube-Clip anschaut, ein Romanautor stirbt? Ist hundertprozentig wahr. Klick sofort das niedliche Katzenvideo weg, du Mörder.

32. FENSTER AUF KIPP

In Südkorea herrscht die weit verbreitete Überzeugung, dass man zu Tode kommen kann, wenn man in einem geschlossenen Raum bei laufendem Ventilator schläft. Das Phänomen wird fantasievoll *Ventilatorentod* genannt. Dieser ist zwar wissenschaftlich denkbar, aber ungefähr so wahrscheinlich, wie in sämtlichen Lotterien der Welt auf einmal zu gewinnen und gleichzeitig vom Blitz getroffen zu werden. Dennoch glauben

fast alle Südkoreaner daran, und die Ventilatoren werden bei ihnen daher mit Zeitschaltern ausgestattet.

Die Deutschen haben ihre eigene Version des Ventilatorentods. Weil alle Welt die deutschen Ingenieure und Bauhandwerker über den grünen Klee lobt, glauben viele Deutsche inzwischen, dass sie keine Häuser und Wohnungen bauen, sondern luftdichte Festungen. Darum halten Deutsche oft den Erstickungstod im eigenen Heim für eine ernsthafte Bedrohung, sofern nicht regelmäßig frische Luft in ihren Zwei-Zimmer-Wohnungen zirkulieren kann. Deswegen haben deutsche Fenster eine besondere Kippfunktion, mit der man das Fenster zu ungefähr 10% geöffnet lassen kann. Selbst im tiefsten Winter ist es durchaus üblich, das Fenster eines deutschen Schlafzimmers «auf Kipp» und den Raum so kalt vorzufinden, dass man darin Fleisch einfrieren könnte. Bleibt das Fenster nicht gekippt, so ist regelmäßige «Stoßlüftung» dringend erforderlich. Dabei öffnet man das Fenster für eine kurze Zeit sperrangelweit, so dass kalte, frische Luft hereinströmen und die böse, abgestandene, warme Luft bekämpfen kann. Diese Einstellung erklärt auch, warum die Deutschen ein so tiefes Misstrauen gegenüber Klimaanlagen hegen, die ihnen zum Hohn ständig bloß altes, recyceltes Kohlendioxid ausstoßen.

Die Begeisterung fürs Fensterkippen ist ein echter Prüfstein für binationale Beziehungen. Engländer drehen die Heizung ihrer Wohnung am 1. Oktober voll auf und rühren sie dann bis Ende April nicht mehr an. Wir sind es nicht gewohnt, den Winter mit Fenstern auf Kipp zu verbringen. Also müssen wir mit unseren deutschen Partnern eine Art Heizungs-Hase-und-Igel spielen: Wir warten, bis sie eingeschlafen sind, schließen dann leise das Fenster, das sie den ganzen Tag offen gelassen haben, drehen die Heizung auf und gleiten schließlich langsam in einen mollig warmen Schlummer. Doch am Morgen sind die schönen Zeiten vorbei, denn unsere Partner sind zuerst erwacht. Sie haben sich glücklich gepriesen, dass sie des Nachts

nicht erstickt sind, haben die Heizung sofort wieder abgedreht und das Fenster geöffnet.

Brrr. Gewöhnt euch ans Frösteln, auch ihr seid jetzt Kipper.

33. BERLIN MIT GEMISCHTEN GEFÜHLEN BETRACHTEN

Also gut, young foreigner. Du kannst ja nicht den ganzen Tag in deiner miefigen Wohnung herumhängen. Irgendwann musst du raus und all die exotischen Winkel dieses wunderbaren, weiten Wurstparadieses erkunden. Die nächsten paar Schritte dieser Anleitung sollen dir bei deinen geografischen Bemühungen helfen. Zunächst: Berlin.

Der Durchschnittsdeutsche hat ein kompliziertes Verhältnis zu seiner Hauptstadt. Berlin ist das schwarze Schaf der deutschen Familie. Kreativ, unpünktlich, neigt zu spontanen Techno-Ausbrüchen, kann seine Schulden nicht zahlen, lässt sich gern auf Vertraulichkeiten mit Ausländern ein. Für viele Deutsche ist Berlin nicht wirklich ihre Hauptstadt, sondern eher ein

gigantisches Kunstprojekt oder Sozialexperiment, das sich nur blicken lässt, wenn es einen Kater hat und mal wieder einen Zuschuss braucht. Für sie ist die wahre Hauptstadt eine Stadt ungefähr wie Frankfurt. Bei Frankfurt weiß man, woran man ist.

34. BAYERN HASSEN

Jedes Märchen braucht einen Bösewicht. Für die Deutschen ist Bayern die böse Hexe. Zunächst mal hat es das Pech, ganz unten rechts in der Ecke zu liegen, so weit ab vom Schuss, dass wir alle darüber lästern können, ohne dass Bayern es mitkriegt. Dann besaß es auch noch die Dreistigkeit, das reichste Bundesland zu werden, und das nicht in stiller Bescheidenheit, sondern als leutseliges, schlecht gekleidetes, ständig saufendes und Gott grüßendes Landei. Der Rest Deutschlands macht sich gern über Bayern lustig, denn auch wenn es lediglich ein Teil dieses ziemlich großen Landes ist, ist es doch schuld an 91% aller weltweit verbreiteten Deutschen-Klischees und an 100% der unzutreffenden und ärgerlichen.

35. SÄCHSISCH HASSEN

Über einen Aspekt des Lebens in Deutschland gibt es keinerlei Diskussionen. Offenbar wurde dazu vor einiger Zeit eine Umfrage durchgeführt, und es gab einen eindeutigen Gewinner. Das Ergebnis stand auf *Spiegel Online* und wurde damit zu einer Tatsache: Der schlimmste deutsche Dialekt ist das Sächsische. Das ist offiziell: Ihr könnt 100 Leute fragen, 99 werden sofort «Sächsisch» antworten. Wer Sächsisch spricht, ist anscheinend kein richtiger Deutscher, sondern ein Volltrottel mit Sprachfehler, der gerade erst aus seiner Berghöhle gekrochen ist. Wenn ich Menschen erzähle, dass ich an der Volkshochschule Leipzig Deutsch gelernt habe, zieht ein Ausdruck des Entsetzens über ihr Gesicht, als könnten sie es nicht fassen, dass Sprachschulen in Sachsen zugelassen werden. Es ist, als hätte ich gerade zugegeben, einen Elternkurs bei Michael Jackson belegt zu haben. *Nu klar.*

36. OST ODER WEST, EINS STEHT FEST

Großbritannien hat eine seltsame Beziehung zum europäischen Kontinent, eine Art «Er liebt mich, er liebt mich nicht», und oft hört man uns verblüffende Dinge über «Urlaub in Europa» und dergleichen sagen. Grenzen im Kopf können eben weiterexistieren, wenn die realen, physischen Grenzen längst gefallen sind. So ist es auch in Deutschland. Mehr als zwanzig Jahre nach der Wiedervereinigung lebt die Ost-West-Teilung in den Köpfen und den Vorurteilen vieler Deutscher weiter, ganz unabhängig vom monatlichen Solidaritätszuschlag. Man trifft nicht selten

Deutsche, die höchstens mal ein Wochenende im jeweils anderen Landesteil verbracht haben. Die Mauer im Kopf erkennt man an gelegentlichen Bemerkungen wie «Wir hatten einen Freund aus dem Westen zu Besuch» oder «Ach, so was gibt es im Osten auch?»

Wenn man mit manchen (vor allem älteren) Ostdeutschen redet, bekommt man den Eindruck, dass sie den Westen immer noch nicht für einen Teil desselben Landes halten, sondern für einen finsteren, kapitalistischen McDonald's-Themenpark, wo es Geld regnet und die Geschenkboutique immer geöffnet ist. Ältere Westdeutsche glauben derweil, Ostdeutschland sei der Bunker, in dem sich Osama bin Laden versteckt hielt.

37. SCHWARZFAHREN

In Großbritannien wissen wir, das größte Sicherheitsrisiko ist Selbstzufriedenheit. Der selbstzufriedene Mensch ist wie ein Neandertaler, der es sich nach einer großen Völlerei entspannt neben dem Feuer bequem macht, dann aber so tief schläft, dass er den Säbelzahntiger nicht kommen hört. Ähnlich wie die Vereinigten Staaten benehmen wir uns deshalb, als sei unsere Gesellschaft eine Schneekugel: Immer, wenn der Schnee sich setzt und alles malerisch und friedvoll wirkt, schütteln Regierung und Medien alles wieder gründlich durch. *Terroristischer Anschlag vereitelt! Noch mehr Überwachungskameras! Rezession! Bevorstehende Krankheitswelle! SARS! Afrikanische Killerbienen!*

Entscheidend ist, dass die Leute ständig geschockt und verängstigt sind. So bleiben sie wachsam, so bleiben sie sicher. Darum nehmen Eltern inzwischen automatisch an, wenn ein fremder Erwachsener im Park mit einem Kind redet, dass es sich um einen Kidnapper oder einen Pädophilen handeln muss. Ist einfach sicherer so.

Wegen dieser ganzen Paranoia sind die Sicherheitsvorkehrungen in der Londoner U-Bahn überwältigend und allgegenwärtig. Ständig hängt ein bestimmtes Aroma in der Luft, irgendwas zwischen Depression und drohendem Desaster.

Lass deine Ängste fahren, junger foreigner. In Deutschland fährt der öffentliche Nahverkehr vor allem mit Vertrauen. Das Wort ist dir vielleicht länger nicht begegnet, doch obwohl es sich auf Grauen und Verhauen reimt, muss es dir keine Furcht einjagen. Es bedeutet nur, dass es hier keine Kontrollschranken gibt. Was es gibt, sind Fahrkartenautomaten. Du kaufst deine Fahrkarte, dann fährst du Bus, S-Bahn oder U-Bahn. Oder du kaufst keine Fahrkarte und fährst trotzdem. Das nennt man *schwarzfahren*. Du hast die Wahl. Was für ein herrliches, befreiendes Gefühl. Wenn du dich also für die unredliche Option ent-

scheidest und keine Fahrkarte kaufst, auch kein Problem. Obwohl sie sonst so regelkonforme Menschen sind, fahren viele Deutsche schwarz. Ohne sich zu schämen. Wenn dann die Kontrolleure in den Wagen steigen, ziehen sämtliche Schwarzfahrer mit einem frechen Grinsen – hat man uns doch erwischt! – ihre Ausweispapiere aus der Tasche und akzeptieren ihr «erhöhtes Beförderungsentgelt». Nicht so, als hätten sie gerade das Gesetz gebrochen, sondern ganz selbstverständlich und nonchalant. Als sei eine lang erwartete Rechnung endlich auf ihrer Fußmatte gelandet, und jetzt muss eben gezahlt werden.

38. QUALIFIKATIONEN

Schön, schön. Wir haben in letzter Zeit eine Menge Spaß gehabt, was, mein wagemutiger foreigner? Sind mit gültiger Fahrkarte in der Stadt herumgegondelt. Haben uns mit den neuen Lieblingslandsleuten in Bayern und Berlin vergnügt. Und wer bezahlt den ganzen Spaß? Du natürlich. Zeit für die ersten vorsichtigen Schritte in Richtung eines deutschen Arbeitsplatzes.

Als ich herzog, gab man mir den Rat: «In England landet derjenige bei den Mädchen, der am meisten trinken kann, ohne sich auf die Schuhe zu kotzen. Hier hingegen kommt der bei den Mädchen gut an, der sich am besten in Philosophie auskennt.» Das ist zwar eine Übertreibung, enthält aber ein Körnchen Wahrheit.

Dank ihres hervorragenden Schulsystems (jedenfalls verglichen mit dem englischen) und ihrer außerordentlich langen Studienzeiten sind die Deutschen ein intellektuelles Völkchen. Folglich verfügen sie in der Regel auch über eine große Anzahl von Qualifikationen und Abschlüssen.

Eitelkeit braucht immer ein Publikum, und das ist bei intellektueller Eitelkeit nicht anders. Darum mussten die Deutschen Gelegenheiten schaffen, bei denen sie andere Deutsche behutsam daran erinnern können, wie viel höher qualifiziert sie sind. In der englischen Gesellschaft, wo inzwischen jeder mit jedem per Vornamen kommuniziert, wirkt diese Idee etwas antiquiert; ich bin Adam, das ist John, Qualifikationen und Intelligenz stecken in unseren Köpfen. Hier jedoch stecken sie in den Buchstaben vor oder nach dem Namen, Buchstaben, die man auch in der Anrede verwendet, zum Beispiel Herr Doktor oder Frau Prof. Dr. h. c. Schmidt … keine Vornamensvertraulichkeiten, bitte. Selbst ein bescheidenes Klingelschild bietet Anlass zum

nachbarschaftlichen Überbieten durch Auflistung aller akademischen Grade.

Wenn man Deutschen erzählt, dass man lediglich einen B. A. in Theaterwissenschaften hat, erntet man gelegentlich Grinsen und herablassendes Schulterklopfen, so als zollten sie der Tatsache Respekt, dass man sich trotzdem schon ganz allein anziehen kann.

39. DEN LEBENSLAUF ERWEITERN

Sicher hast du das auch schon erlebt: Du bist im Netz unterwegs, willst eine Seite aufrufen, und sie bleibt einfach hängen. Nicht schlimm – du wartest kurz, und nach ein paar Sekunden erscheint die Seite. Weißt du, wieso die Datenautobahn einen Augenblick verstopft war? Ich schon. Irgendwo hat ein Deutscher einem potenziellen Arbeitgeber seinen Lebenslauf gemailt. Denn deutsche Lebensläufe sind nicht wie andere Lebensläufe …

Gegen Ende meines Studiums gab es für uns einen speziellen Kurs zum Thema Jobsuche und Bewerbung. Wir sprachen über Einstellungsgespräche, Networking, Lebensläufe. Die Anfertigung eines wirklich herausragenden Lebenslaufes. Diese Sitzungen bestanden hauptsächlich daraus, dass der Dozent wütend wurde und uns anschrie, wir sollten unsere Lebensläufe kürzen. Kürzer, Leute, knapper! Er hielt uns Statistiken vor, dass Lebensläufe im Schnitt vier Sekunden lang angeschaut werden, also machten wir sie noch kürzer. Infolgedessen ist mein CV nur vier Zeilen lang und lautet: «Ich bin ein netter Mensch. Zahlreiche Qualifikationen. Gepflegte Zähne. Stellen Sie mich ein.» Es folgt meine Email-Adresse und ein riesiges Bild eines bebrillten Einhorns.

So läuft das hierzulande nicht. Als echter Deutscher hat man

einen mindestens siebzehnseitigen Lebenslauf, und zwar ohne Anlagen gezählt, von denen es mindestens zwanzig geben sollte. Englische Lebensläufe sind inzwischen so gut wie anonym. Wir dürfen nicht mal mehr unser Alter angeben, weil das Anlass zu Diskriminierung geben könnte. Dein deutscher Lebenslauf aber muss mit einem professionellen, modelmäßigen Porträtfoto beginnen. Als nächstes folgen deine Bildungsabschlüsse. Ganz oben sollten die ältesten stehen, die niemanden interessieren, wie zum Beispiel deine Gymnasiumsnoten. Schreib keine persönlichen Botschaften in deinen Lebenslauf: Kein Mensch interessiert sich für deine Hoffnungen, Träume oder Fünfjahrespläne. Liste einfach nur die Fakten deines Lebens auf, wie in einem Nachruf auf einen noch Lebenden. Wir sind hier in Deutschland – da geht man mit Tatsachen hausieren, nicht mit Anekdoten, *du Karrierescharlatan.* Sodann scanne jedes Zeugnis, jeden Abschluss, den du je erhalten hast. Du bist damals, 1998, beim Schulsportfest Zweiter im Hochsprung geworden? Rein damit. Das beweist deinen Kampfgeist und dein Engagement. Weiter geht es mit Referenzen und Empfehlungen. Je mehr, desto besser. Zur Sicherheit solltest du dir von allen Menschen, denen du jemals begegnet bist, welche besorgen. Danach

ADAM FLETCHER

I am a nice man.
Good skills.
Clean teeth.
Hire me.

ist alles erlaubt. Einkaufsliste aus dem Jahr 1987? Der Aufsatz über ein besonders schönes Ferienerlebnis, den du mit neun Jahren geschrieben und für den du eine glatte Eins bekommen hast? Klar. Immer hinein. Hast du Geschwister? Bist du verheiratet? Kinder? Was treiben deine Eltern so? Das sind alles lebenswichtige Informationen, wenn es um die Beurteilung deiner Fähigkeiten als Mitarbeiter eines Callcenters geht. Um ganz sicher zu gehen, schreibe Namen, Alter und berufliche Stellung von allen erwähnten Personen dazu.

Als richtiger Deutscher schickt man seinem hoffentlich zukünftigen Arbeitgeber keinen Lebenslauf, sondern ein Monsterdokument, das den Empfänger durch die schiere Masse an Einzelheiten erschlägt.

40. «RICHTIGE» ARBEIT SUCHEN

Gute Nachrichten, mein furchtloser Kulturbotschafter! Die deutsche Wirtschaft brummt. Womöglich kannst du jene verwirrende, kafkaeske Festung der Verzweiflung noch umgehen, die heute *Arbeitsagentur* heißt. Sogar im Osten, wo sich einst Not leidende Städte wie Leipzig in pulsierende Logistikzentren verwandelt haben. Mit all deinen neuen Qualifikationen und Abkürzungen vor dem Namen solltest du problemlos Arbeit finden. Aber nicht jede Arbeit wird gleichermaßen geschätzt. Es gibt eine unausgesprochene Rangfolge der Berufe, die alle Deutschen kennen, allerdings nicht unbedingt anerkennen: richtige Berufe und nicht so richtige Berufe. Damit ein Beruf in Deutschland etwas zählt, sollte er seit mindestens hundert Jahren existieren, irgendeinen naturwissenschaftlichen Hintergrund haben oder zumindest so schwierig sein, dass man sein halbes Leben dafür lernen muss und 67 verschiedene akademische Qualifikationen erwerben kann. Er muss für Außenstehende

undurchdringlich sein und sich hinter einem komplizierten Jargon verbergen. Im Idealfall sollte er außerdem mit *I* anfangen und mit *ngenieur* weitergehen. Doch es gibt auch andere akzeptierte Professionen: Naturwissenschaftler, Rechtsanwalt, Arzt, Lehrer, alles, was mit Organisation im großen Maßstab zu tun hat, zum Beispiel Logistik, oder aber mit Autos. Ansonsten kann dir leicht das passieren, was auch mir immer passiert – die Leute fragen mich nach meinem Job, und ich antworte: «Ich arbeite im Marketing», worauf irgendjemand sagt: «Aber das ist doch keine richtige Arbeit, oder?»

41. MIT IRONIE SCHEITERN

Brite sein ist nicht leicht. Schlechte Gene, schlechtes Essen, eine Neigung, sich für alles zu entschuldigen, sogar fürs ständige Sich-Entschuldigen. Was es nicht leichter macht: Dank Monty Python denkt die ganze Welt, dass wir alle, alle 60 Millionen Briten, Stand-up-Comedians sind, die den ganzen Tag *Marmite* essen. Dass niemand irgendwas gebacken kriegt, weil wir uns alle permanent vor Lachen krümmen und den Bauch halten, da unsere Landsleute auf der Insel so wahnsinnig komische Sachen von sich geben. Darum stehen wir unter dem gesellschaftlichen Druck, immerzu witzig zu sein. Wir sind schließlich Briten. Ihr wisst schon, Monty Python und so.

Die Deutschen leiden unter dem umgekehrten Problem. Humor fällt ihnen schwer, weil alle Welt glaubt, sie hätten keinen, weshalb sie sich doppelt anstrengen müssen, um der Welt das Gegenteil zu beweisen. Oft haben Deutsche, wenn irgendwer einen dummen Spruch über die humorlosen Deutschen oder einen geschmacklosen Witz über den Krieg macht, zwei Möglichkeiten: Entweder sie lachen, obwohl es nicht witzig ist, nur um zu beweisen, dass Deutsche doch Humor haben. Was ledig-

lich die Wahrscheinlichkeit erhöht, dass die Leute weiterhin diese lahmen Witze reißen – über die sie dann weiter lachen müssen. Oder sie lachen nicht und bestätigen damit das Klischee des humorlosen Deutschen. Eine echte Catch-22-Situation der Komik.

Auf eine ähnliche Schwierigkeit stoßen die Deutschen, wenn sie sich in Ironie versuchen. Ironie ist in der deutschen Komik nicht sonderlich populär. Sie wird vor allem von Deutschen eingesetzt, die etwas in der Welt herumgekommen sind, sie irgendwo aufgegabelt haben wie eine Art Malaria für die lustige Ader und seither versuchen, ihre Landsleute zu infizieren. Nach meiner Erfahrung stehen die Chancen, als Deutscher mit Ironie zu scheitern, bei ungefähr 90%, denn niemand rechnet damit und nimmt stattdessen jedes Wort für bare Münze, was dann zu solchen Unterhaltungen führt:

«Tja, in Finnland hat eben jeder Haushalt einen Pinguin als Haustier.»

«Wirklich?!? Das habe ich ja noch nirgendwo gelesen. Im Haus?»

«Nein, sei doch nicht albern …» (der Sprecher verdreht die Augen, der Tonfall wird ironischer), «in einem Iglu im Garten!»

Kopfschütteln. «Echt?!?! Das macht doch keinen Sinn.»

«Ja, echt! Pinguine sind die finnischen Hunde. Sie führen sie an der Leine spazieren, es ist ganz normal, einen Finnen morgens mit seinem Pinguin Gassi gehen zu sehen.»

«Stand das bei *Spiegel Online*?»

«Ja sicher, stand bei *Spiegel Online*, da haben sie einen der Pinguine interviewt.»

«Das ist doch unlogisch. Wie soll man einen Pinguin interviewen?»

«Oh my God! Das war ironisch gemeint! Natürlich halten sie keine Pinguine als Haustiere.»

In meinem Freundeskreis umgehen wir dieses Problem, seit wir eine «Deutscher versucht sich an Ironie»-Karte eingeführt haben. Die Karte existiert nicht wirklich, sie ist eher eine imaginäre zeremonielle Karte, die man in die Luft reckt wie ein Schiedsrichter die Rote Karte. Dann wissen alle Anwesenden, dass sie über die ironische Bemerkung lachen sollen, die man gleich machen wird. Das lässt dem Spaß zwar ein wenig die Luft ab, wie ein Loch im Fahrradschlauch, doch es ermöglicht den Deutschen, an dem knackigen Spaß teilzuhaben, den Ironie und Sarkasmus mit sich bringen.

42. LERNE, DASS MAN BÜROKRATIE AUCH GENIESSEN KANN

Richtig gern sehe ich diese etwas pompösen Historienschinken mit Königen, Herzögen und Rittern. Irgendwann muss immer ein reitender Bote «unverzüglich aufbrechen», um einen mit Wachs versiegelten, höchst offiziellen Brief zu überbringen, er reitet die ganze Nacht, trifft ein, jemand stößt in ein Horn, die Zugbrücke wird heruntergelassen, der atemlose Bote steigt vom Ross und sagt etwas herrlich Formelles wie «Ich bringe Kunde aus dem Hause Elrond».

Es wäre übertrieben zu sagen, dass man es in Deutschland immer noch so hält, doch tatsächlich schwelgen die Deutschen bis heute in den Zeremonien der Amtsgewalt. Sie sehen sich zwar gern als Volk der Dichter und Denker, doch vielleicht wäre das Etikett *Normierer und Stempler* passender. Man hat den Eindruck, dass sie die Labyrinthe der Bürokratie weniger als Hemmschuh betrachten, sondern vielmehr als sicheren Schutz vor den scharfen Ecken und Kanten des Lebens.

Wäre Papierkram eine olympische Disziplin, ich bin überzeugt, den Deutschen wäre die Goldmedaille nicht zu nehmen.

Sie würden ins Stadion einlaufen, in der Hand einen kleinen hölzernen Stempelbaum, hinter sich einen Handwagen, der meterhoch beladen wäre mit verschiedensten Büroklammern, hoch spezialisierten Briefvorlagen und offiziellen Dokumenten voller herrlicher deutscher Zusammensetzungen wie *die Rechtsschutzversicherungsgesellschaft.*

Und dann würden sie den mit Fußnoten versehenen, alphabetisch sortierten, ausführlich mit Leuchtstift markierten Sieg davontragen.

43. GUT GUT, NAJA, ACH SO, ALLES KLAR, UND SONST SO

Die deutsche Sprache kann einem Angst einjagen. Trotz all der Mühe, die du dir gegeben hast, sinkt dir vielleicht manchmal der Mut, und du befürchtest, dass du diese verwirrendste aller Sprachen niemals meistern wirst. Aber sorge dich nicht. Ich werde dir jetzt helfen. Ich wollte nicht früher damit herausrücken, weil du dich dann womöglich nicht so angestrengt hättest, Deutsch auf die traditionelle, schmerzhafte Weise zu lernen. Doch mach dir keine Gedanken, mein Freund, du kannst augenblicklich Deutsch sprechen, sofort, jetzt und hier. Zumindest den größten Teil der Sprache. Das Wichtige, den Smalltalk. Dazu brauchst du nur die fünf am häufigsten verwendeten deutschen Ausdrücke, aus denen ungefähr 60% aller Unterhaltungen bestehen, nämlich: *Gut, naja, ach so, alles klar* und *und sonst so.* Allein mit diesen flexibelsten aller deutschen Phrasen, die sich in jede beliebige Reihenfolge bringen lassen, kann man ganze Gespräche führen:

«Na?»

«Ja.»

«Ach so.»

«Alles klar?»

«Na ja.»

«Gut gut.»

Pause.

«Und sonst so?»

44. PRAKTISCH IST TRUMPF

Es gibt einen immer wiederkehrenden Streitpunkt zwischen meiner Freundin und mir, der wohl auch ein Schlaglicht auf einen ideologischen Graben zwischen den Deutschen und anderen Nationen wirft. Einen Graben, den ihr vielleicht auch regelmäßig überspringen müsst. Wir nennen es «englisch-romantisch vs. praktisch-deutsch». Wer je gesehen hat, wie sich englische Frauen für eine winterliche Partynacht anziehen, der weiß, dass praktisches Denken nicht zu unseren Vorlieben gehört. Wie Elstern, die glitzernde Gegenstände horten, bewerten wir die Dinge zuallererst nach ihrem ästhetischen Wert und erst in zweiter Linie (oder überhaupt nicht) nach ihrem praktischen Nutzen. Den Deutschen jedoch geht Nützlichkeit über alles. Darum sagen sie auch ständig Sachen wie:

«Das ist doch unlogisch.»

«Das macht aber keinen Sinn.»

«Total unpraktisch.»

«Wirklich sinnlos.»

Und damit musst du auch nicht warten, bis jemand an der Tür klingelt und versucht, dir eine Teekanne aus Schokolade zu verkaufen. Solche Sätze kannst du einfach von dir geben, wenn du mit einer geäußerten Meinung nicht einverstanden bist. Das ist hier völlig normal.

Am stärksten fällt dieser kulturelle Unterschied ins Auge, wenn man über Wohnungen spricht. Um als Deutscher zu gelten, solltest du auf jede Frage nach deiner Wohnung mit nackten, harten Fakten antworten. Als würdest du nicht den Ort beschreiben, an dem du deine Kinder großziehst, sondern eine Anklageschrift oder den Beipackzettel zu einem Medikament vorlesen. Es ist unerlässlich, den exakten Quadratmeterpreis parat zu haben. Damit fängst du an. Es folgt die Gesamtquadratmeterzahl und die Anzahl der Zimmer. Weiter geht es über die Kaltmiete zu den Nebenkosten. Dann muss geklärt werden, ob ein Balkon vorhanden ist und genau welche Art von Parkett. Alle Deutschen sind offenbar Experten für verschiedenste Parkettböden und können deren jeweilige Vor- und Nachteile ausführlich diskutieren – sehr wichtig, wenn man sein Parkett ohnehin immer nur mit Hausschuhen berührt. Am Schluss kannst du noch sagen, wo die Wohnung sich geografisch befindet oder ob sie dir eigentlich gefällt. Wenn du willst. Ist deine Sache. Schließlich bist du alles Wichtige schon losgeworden.

45. ERNSTHAFT REISEN

Ich finde, du hast jetzt so schwer daran gearbeitet, dich hier einzufügen, da wird es Zeit, dass du mal Pause machst. Wie wäre es mit einem Urlaub im Ausland? Leider ist das Reisen als Deutscher und mit Deutschen auch nicht ohne Probleme. Wenn du dich richtig verhalten willst, kultureller Entdecker, musst du viel lernen. Denn: Neues Land = neue Risiken. Erster Schritt beim deutschen «Projekt Urlaub» ist das Erkennen von potenziellen Gefahren des fremden Landes und das Ausschalten derselben durch weitreichende Versicherungen und angemessene Reiseausrüstung. Selbst ein Wochenendausflug an die Ostsee erfordert womöglich High-Tech-Wanderschuhe mit Spezialsohlen, Hosen mit Reißverschlüssen zum Abtrennen, einen Trinkwasserkanister und jede Menge von diesen Hakendingern, die Bergsteiger benutzen. Karten müssen ausgedruckt, Routen geplant, Ausweichrouten gesucht werden. Und Ausweichrouten für die Ausweichrouten.

Bei der Ankunft in ferneren Ländern sind die Deutschen oft enttäuscht, dass diese Länder nicht effizient funktionieren. Ihre Missbilligung äußert sich in Sätzen wie «Es hieß, der Bus würde um 18 Uhr fahren. Jetzt ist es schon 18 Uhr 15. *Typisch!*», «Ein so schlecht gelüftetes Badezimmer ist ein totaler Schimmelmagnet» oder «Ist es zu viel verlangt, wenn man von diesen Leuten einfach zwei getrennte Rechnungen bekommen möchte?»

Deutsche im Ausland sind teils Urlauber, teils TÜV-Kontrolleure, die mit aufmerksamen Blicken Gesundheitsrisiken und Verletzungen der Sicherheitsbestimmungen registrieren und die Lage von Notausgängen und Toiletten kontrollieren. Wenn sie ein Restaurant betreten, kann man praktisch sehen, wie sie im Geist Tische und Stühle umstellen, um einen optimalen

«Fluss» zu erreichen. Beim Reisen geht es ihnen ein bisschen darum, all die vielen Fremdsprachen zu verwenden, die sie beherrschen, aber vor allem wollen sie im unmittelbaren Vergleich daran erinnert werden, wie viel besser alles in Deutschland ist.

46. GEBURTSTAGE SIND KEIN SPASS

In Deutschland sind Geburtstage nicht bloß eine willkommene Ausrede fürs Kuchenessen und für die nervige, dennoch oft und gern wiederholte Frage, wie es sich anfühlt, einen Tag älter als gestern zu sein, ehe man sich dann betrinkt und unter einem Haufen Mäntel das Bewusstsein verliert. Nein, Geburtstag feiern ist hier eine ernste Sache. Tatsächlich ist die Wahrscheinlichkeit, einen Fauxpas zu begehen, so hoch, dass man die ganze Sache womöglich besser abbläst und ganz im Stillen, ohne Trubel, älter wird. Zunächst mal musst du wissen, dass *du* derjenige bist, der für alle Kuchen mit ins Büro bringen muss. Obwohl es doch dein Geburtstag ist und eigentlich die andern etwas Nettes für dich tun sollten. Nicht umgekehrt. Außerdem ist es lebenswichtig, dass du genau an dem Tag feierst, an dem du auch geboren wurdest. In Großbritannien konnten wir uns als Kinder den Tag mehr oder weniger aussuchen. Wenn unser Geburtstag also auf einen Dienstag fiel, schoben wir ihn einfach aufs Wochenende davor. Das war dann unser Geburtstag. Wir kriegten unsere Geschenke, alle gratulierten uns, wir feierten eine Party. Dann kam der Dienstag und wurde behandelt wie jeder andere Dienstag auch. Wir hatten schließlich am Samstag Geburtstag gehabt. Geburtstage waren lediglich ein abstraktes Konzept, das besagte, dass man ohne anzuecken alberne Hütchen tragen und sich gnadenlos ins Rampenlicht drängen konnte.

In Deutschland verlegt man seinen Geburtstag nicht mal eben so. Du bist am 1. März geboren. Das ist dein Geburtstag.

Der Tag deiner Geburt. Genau zu diesem Datum bist du aus dem Leib deiner Mutter vertrieben worden. Seinen Geburtstag zu verlegen ist ebenso erfolgversprechend wie der Versuch, sich eine zweite Nase wachsen zu lassen. Also probiere es gar nicht erst, *du Schwindler*. Und wenn du die Feier aus logistischen Gründen unbedingt verschieben musst, dann jedenfalls auf einen Tag *nach* deinem richtigen Geburtstag. Denn hier lädt man sich schreckliches Unglück auf, wenn man sich vor seinem Geburtstag zum Geburtstag gratulieren lässt. Nach der abergläubischen Furcht der Leute zu urteilen, erhöht das die Wahrscheinlichkeit, noch vor seinem Ehrentag zu sterben, um etwa 74%. Ebenso entscheidend ist es, die Uhrzeit seiner Geburt auf die Minute genau zu kennen. Damit man seinen Geburtstag umso präziser und korrekter begehen kann, denn darauf kommt es schließlich an.

47. AN SILVESTER *DINNER FOR ONE* SCHAUEN

Wenn ich dir erzählen würde, dass an einem Abend im Jahr alle deutschen Fernsehsender denselben Film zeigen, in Dauerschleife, den ganzen Abend lang, würdest du wahrscheinlich denken: Wieso das denn? Oder: Das muss aber ein besonderer Film sein. Vielleicht *Der weiße Hai 2*? Den finde ich am besten.

Ich weiß auch nicht, wieso, und nein, es ist nicht *Der weiße Hai 2*. Überraschenderweise ist es ein englischer Film, und noch überraschender ist: Er ist nicht synchronisiert. Allerdings ist es ein englischer Film, von dem kein Engländer je gehört hat. Würde man in England auf den Straßen eine Umfrage durchführen, welchen englischen Film die Deutschen so sehr lieben, dass alle Fernsehsender ihn an einem Abend im Jahr in Dauerschleife zeigen, dann wage ich die Behauptung, dieser Film würde nicht ein einziges Mal genannt werden. Es ist ein englischer Film, von

dem die Menschen in England nicht wissen, dass es ein englischer Film ist. Oder überhaupt ein Film. Oder was auch immer sonst.

Es ist die obskure Schwarzweißaufnahme eines englischen Comedy-Sketches namens *Dinner for One*. Seit etwa vierzig Jahren wird er immer an Silvester ausgestrahlt. Ich kenne Deutsche, die behaupten, die Sendung nahezu jedes Jahr geschaut zu haben, zum Teil mehrmals am selben Abend. *Dinner for One* zu schauen ist eine Art überlieferter Brauch, der von Alt und Jung gepflegt wird. Da der Sketch in fast allen Programmen läuft, ist er kaum zu ignorieren. Selbst wenn du auf einer Silvesterparty bist, läuft er wahrscheinlich im Hintergrund, wie ein alter Freund, der nur einmal im Jahr hereinschneit und zu dessen Ehren man sich versammelt hat.

Niemand scheint genau zu wissen, wie oder warum *Dinner for One* ein so fester Bestandteil des Silvesterprogramms wurde. Ich habe eine Theorie: Ich finde es ziemlich offensichtlich, dass die Fernsehanstalten ein schlechtes Gewissen wegen all der grauenhaft synchronisierten Sendungen hatten, die sie dem Massenpublikum das ganze Jahr über aufzwangen, also setzten sie sich zusammen, um den Schaden ein wenig wiedergutzumachen. Dabei einigten sie sich darauf, dass alle Sender *einen* englischen Film im Original zeigen würden, und zwar einen ganzen Abend lang in Dauerschleife. Das funktioniert so ähnlich wie diese Eisbecken, die man in der Sauna findet: Ein kurzes,

schmerzhaftes Eintauchen, danach ist alles wieder normal. Den Silvesterabend suchten sie sich aus, weil sie glaubten, zu dieser Zeit würde sowieso niemand vorm Fernseher hocken. Wir sind hier schließlich in Deutschland, da tanzen an Silvester alle hemmungslos, vom Schnaps beduselt, oder laufen in der Gegend herum und jagen Sachen in die Luft, oder? Na ja, so ungefähr. Was mich zum nächsten Schritt führt …

48. VERGISS ALLES, WAS DU JE ÜBER FEUERWERK GELERNT HAST

Drei Viertel des Films *The Wicker Man* handeln von einem Mann, der Nachforschungen auf einer abgelegenen Insel anstellt, deren nette, gastfreundliche, aber etwas seltsame Bewohner sich ständig nackt ausziehen. Während er noch versucht, sich dieses Verhalten zu erklären, wird plötzlich ein Fest gefeiert, und alle drehen komplett durch. Er versucht, Ruhe und Ordnung wiederherzustellen und alle daran zu erinnern, wie gefährlich ihr Verhalten ist, doch die Bewohner hören nicht auf ihn, ja schlimmer, sie verschleppen ihn und verbrennen ihn schließlich.

Dies ist kein fiktiver Filmplot. Es ist die präzise Beschreibung eines Silvesterabends in Deutschland.

In England bringt man uns bei, das Allergefährlichste auf der Welt – abgesehen von einem Ringkampf mit einem Löwen, den man mit Erdnussbutter eingeschmiert antritt, oder jeglicher Aktivität bei Schneefall – sei das Anzünden von Feuerwerkskörpern. Jedes Mal, wenn man einen Böller oder eine Rakete ansteckt, besteht eine etwa fünfzigprozentige Wahrscheinlichkeit, dass man auf der Stelle stirbt. Ich weiß nicht, ob das mit den Knallkörpern selbst zusammenhängt oder mit dem uralten Fluch einer Zigeunerin, der auf dem englischen Volk lastet, so

dass wir uns seither ständig in die Luft jagen. Feuerwerk ist so riskant, dass es landesweite Fernsehkampagnen gibt, die uns an die Gefahren von Wunderkerzen erinnern sollen. Ja genau, Wunderkerzen. Ich glaube, im Jahresdurchschnitt verletzen sich mehr Menschen bei Kissenschlachten oder durch Kokosnüsse, die vom Baum runterfallen. In Deutschland habe ich Leute gesehen, die bei einem Konzert inmitten einer dicht gedrängten Menschenmenge Wunderkerzen anzündeten, und andere, die sie auf Torten steckten oder sie sogar in ihren Wohnungen abbrannten. In geschlossenen Räumen! *Unvorstellbar.*

Einmal habe ich beobachtet, wie jemand mit voller Absicht eine Rakete auf eine Fahrradfahrerin abschoss. Er traf sie auf die Brust. Die Frau kreischte auf, die Rakete prallte irgendwie ab und verzischte unspektakulär. Ziemlich enttäuschend. Meine englische Erziehung hatte mich erwarten lassen, dass die Frau in Flammen aufgehen und der Mann für einen so offensichtlich terroristischen Akt sofort ins Gefängnis wandern würde.

Silvester in Deutschland ist der Abend, an dem all die netten, normalen, praktischen, risikoscheuen Menschen sich in Schwarzpulver schwingende, todessüchtige Pyromanen verwandeln. Sie rennen durch die Gegend und entzünden mit fahrlässigem Überschwang Feuerwerkskörper. Teile des Landes erinnern dann eher an die Innenstadt von Bagdad in schlimmsten Zeiten. Wenn man in Deutschland am Silvesterabend das Haus verlässt, kommt man sich vor, als sei man in einen 80-Millionen-Multiplayermodus von *Bomberman* geraten.

Der einzige Trost, der einen an diesen Abenden vielleicht beruhigen kann: Wenn tatsächlich mal etwas schief geht, sind alle ausreichend versichert.

49. HASSE SCHLAGER UND KENNE SIE ALLE AUSWENDIG

Wenn du je den Film *Die Killerhand* von 1999 gesehen hast, dann weißt du, dass es eine seltene neurologische Störung gibt, die sich Alien-Hand-Syndrom nennt: Die Hand der betroffenen Person entwickelt dabei einen eigenen Willen und handelt gegen die Absichten ihres Besitzers. Die Deutschen leiden unter einer weniger bekannten, aber genauso hinderlichen Krankheit, die dem Alien-Hand-Syndrom ähnelt, nur dass sie den ganzen Körper befällt. Man nennt sie *Schlageritis*.

Du sitzt mit ihnen irgendwo in einem Biergarten. Wie bei jeder Party kommt der Zeitpunkt, wo jemand Schlager auflegt. Sofort siehst du, wie deine deutschen Gefährten von den Symptomen der Schlageritis gepackt werden. Zuerst geben sie eine Folge von stöhnenden, grummelnden Klagelauten von sich und erklären dir dann, wie sehr sie Schlager hassen, dass Schlager eine dreiminütige musikalische Beleidigung jeglicher Intelligenz zu elektronischer Schlagzeugbegleitung sind. Ignoriere sie einfach. Sie versuchen nur, sich von ihrer eigenen Schlageritis zu distanzieren. Selbstbetrug. Als nächstes merkst du, wie sie ganz leicht die Hände im Takt bewegen. Beinahe gegen ihren Willen. Sie versuchen, sich weiter ganz normal zu unterhalten, doch zwischendurch kommen ihnen ein, zwei Zeilen des Textes über die Lippen. Jeder Deutsche kennt unweigerlich jedes einzelne Wort sämtlicher Schlagertexte. Das ist erblich und wird mit den Genen weitergegeben, so wie Indiostämme im Regenwald instinktiv wissen, welche Pflanzen man essen kann und welche einen in klumpigen, toten Menschenbrei verwandeln.

Sie versuchen, gegen die stärker werdenden Symptome anzukämpfen. Um ihre Hände unter Kontrolle zu bringen, setzen sie

sich womöglich darauf und sprechen dann laut über irgendeine gerade entdeckte neue Versicherung. Oder sie versuchen, sich durch das Erzählen eines Witzes abzulenken. Vielleicht schlagen sie vor, eine Schlagerversicherung einzuführen, die jedes Mal Schadenersatz zahlt, wenn jemand einen Schlager hören muss. Doch inzwischen rutschen sie schon unbehaglich auf ihren Bierbänken hin und her, denn ihr Körper will sie zwingen aufzustehen und zu tanzen, zu singen und Wildfremden zuzuprosten.

An diesem Punkt bleiben ihnen nur noch zwei Optionen. Sie können dir abermals versichern, wie sehr sie Schlager hassen, und dich dann dazu nötigen, mit ihnen wegzugehen. Oder sie können der Schlageritis nachgeben, sich entspannen und mitfeiern. Meistens wählen sie den Aufbruch. Wenn sie sich für die zweite Möglichkeit entscheiden, dann tun sie es verstohlen und suchen ihre Begeisterung als Ironie auszugeben. *Schlager sind so schlimm, dass ich mich darüber lustig mache, indem ich so tue, als wären sie toll. Seht nur mein breites aufgesetztes Grinsen! Amüsiere ich mich nicht prächtig? Lalalalala, «ich hab ne Zwiebel auf dem Kopf, ich bin ein Döner», hey!*

Lass dich nicht täuschen, guter Ausländer – sie lieben Schlager. Und du musst es auch.

50. TSSSSSSSSSSSSCHÜÜ-HÜSSSSSSSSS SAGEN

Wie alle guten Dinge (außer der Wurst) hat auch dieser spaßige kleine Überblick über die deutsche Kultur ein Ende. Ich bin stolz auf dich, mein liebes Ausländerchen, dass du die ersten 49 Schritte durchgehalten hast. Darf ich dich immer noch Ausländer nennen? Nein! Ich glaube nicht. Du versuchst ganz offensichtlich ernsthaft, dich an ein Land anzupassen, das nicht in

dem Ruf steht, Fremde warmherzig willkommen zu heißen. Deine Begeisterung und dein Engagement sind höchst lobenswert. Bestimmt hast du deinen Lebenslauf bereits aufgepolstert, deine Frühstückszeit verdoppelt, deine Qualifikationen vervielfacht. Du bist eine Zierde dieses schönen, kreditwürdigen Landes. Glückwunsch! *Mein lieber ehrenamtlicher Deutscher!* Mit Wehmut und einem letzten Dankeschön fürs Lesen bleibt mir nur noch, dir «Tssssssssssssschüü-hüsssssssss» zu sagen, und das ist zugleich der fünfzigste Schritt.

Mit Ausnahme des Oktoberfestes ist Deutschland nicht gerade berühmt für seine Exzesse. Es wird ganz zu Recht geschätzt für seine Bescheidenheit und Zurückhaltung. Beides hervorragende Eigenschaften. Während wir Briten es uns mit Bankkrediten gut gehen ließen und Hunderttausende Pfund für die kleinen Schuhkartons ausgaben, in denen wir wohnen, sind die Deutschen in ihren Mietwohnungen und ihren geliebten Wohnküchen geblieben. Doch es gibt einen Anlass, wo sie sich alle

gern so richtig gehen lassen, wo sie sich wild und flamboyant aufführen, nämlich wenn sie das Wort *Tsssssssssssssssssssssssssssss ssssssssssssssssssschhhhhhhhhhhhhhhüüüüü-hüüsssssssssssssssssss* sagen.

Ich weiß nicht genau, aus wie vielen Buchstaben das Wort *Tttttttttttttttttttttssssssssssssssssssssssssssssccccccccccchhhhhhhhhhhüüüüü-hüüsssssssss* besteht, aber ich bin ziemlich sicher, dass man es beim Scrabble nicht legen darf. Die Aussprache sollte ungefähr fünf Sekunden lang dauern, und zwar nicht in deiner üblichen Stimmlage, sondern mit einer Stimme, die du von einer etwas besseren, musikalischeren, notensicheren Version deiner selbst geborgt hast.

Tsssssssssssssssssssssssssssssssssssssssssssschhhhhhhhhhhhh-hhüüüüü-hüüsssssssssssssssssss, mein lieber ehrenamtlicher Deutscher, Tssssssssssssssssssssssssssssssssssssssssssssschhhhh-hhhhhhhhhhhüüüüü-hüüsssssssssssssssssss.

73